TOUT MADRID

Texte, photographies, mise en page/design et reproduction: EDITORIAL ESCUDO DE ORO, S.A.
Les droits de reproduction et de traduction, totales ou partielles, sont réservés
Copyright de cette édition sur les photographies et le texte: © EDITORIAL ESCUDO DE
2ème Edition, Mai 1994 - I.S.B.N. 84-378-1550-9 Dep. Legal. B. 12260-1994

D1227731

Editorial Escudo de Oro, S.A.

Plan de Madrid réalisé en 1656 par Pedro Texeira.

HISTOIRE ET DEVELOPPEMENT URBAIN DE MADRID

Origine du nom

On pensait autrefois que la ville avait des origines mythologiques, mais ces théories ne voulaient qu'émuler l'histoire d'autres villes européennes. Elles n'avaient aucune base scientifique. Les uns disaient que Madrid avait été fondée par Ocno, roi romain, fils d'une déesse, qui lui donna le nom de Mantua. D'autres attribuaient la fondation de la ville aux grecs. D'autres encore l'appelaient Ursa (ourse en latin), à cause du grand nombre d'ours qui vivaient dans les monts madrilènes. On retrouve cet animal et l'arbousier sur le blason de la ville, depuis le Moyen Age.

Mais la recherche historique nous mène à une conclusion toute autre. Le nom de «Madrid» naquit avec la fondation arabe de la ville. Sa racine étymologique est «machra» (en arabe, source d'eau). On y ajouta le particule «it» (abondance). On obtint ainsi «macher-it», qui veut dire «source d'eau abondante». Ce nom, avec lequel les musulmans définirent la ville, est une référence directe à la richesse des cours d'eau souterrains qui circulaient dans le sous-sol madrilène et qui arrosaient généreusement la ville et les terrains environnants. Reconquise par les chrétiens, la ville castillanisa son nom et devint la «Magerit» médiévale. Au cours des temps, le nom s'est transformé en «Madrit» et, enfin, en «Madrid». Mais les vrais madrilènes prononcent «Madriz».

La statue d'Alvaro de Bazán, au centre de la place de la Villa. A droite, la Tour de la maison des Lujanes où, d'après la légende, fut enfermé le roi François I de France.

Madrid, château célèbre

Les découvertes archéologiques réalisées sur les rives du Manzanares démontrent que la présence de l'homme dans les parages madrilènes remonte à plus de cent mille ans, au paléolithique inférieur. Mais les premières références de Madrid en tant que ville sont beaucoup plus récentes. On attribue sa fondation à Mohammed I (852-886), émir de Cordoue, qui la voulut forteresse arabe, sur une colline qui domine les rives du Manzanares, afin de défendre Tolède des incursions des habitants de León et des castillans.

Ville chrétienne et chasse royale

Après la conquête de Tolède par Alphonse VI en 1085, Madrid se trouva définitivement dans la zone d'influence chrétienne. Son Alcazar sera le séjour des rois de Castille lorsque ceux-ci vont chasser dans les bois qui entourent la ville, ce qui se produit souvent. Champs de blé, d'orge et vignes qui s'étendent aux pieds des anciennes norias et aux côtés des vergers arabes, augmentent l'activité commerciale de la ville qui avait déjà, au XIVe siècle, plusieurs marchés stables. Dans les faubourgs, on fonda les monastères de saint-Martin et de saint-Dominique. En 1202, Alphonse VIII donna une Charte à la ville et les rois suivants lui concédèrent des privilèges et des franchises. Les Rois Catholiques s'occupèrent du premier agencement urbain. L'empereur Charles Quint réside sporadiquement à Madrid et, en 1534, il concède à la ville la couronne de son blason.

Capitale du Royaume

En mai 1561, Philippe II nomma Madrid capitale de l'Etat et de l'Empire. La ville reçut alors un grand courant migratoire qui triplica la population et l'augmenta jusqu'à 60 000 habitants. Il y eut alors une énorme crise de logement que l'on essaya de pallier avec la loi de «Regalía y Aposento» (Régale et Logement) et le «Bando de Policía y Ornato» (Loi de propreté et embellissement) de 1591. Afin de détourner la loi, les madrilènes construisirent alors leurs maisons «a la malicia» (maisons construites pour deux familles sur une façade d'un seul étage afin d'éviter la loi de l'impôt foncier). Sous Philippe IV, Madrid compta plus de 100 000 habitants. Ce monarque fit construire, en 1625, la muraille qui entoura la capitale jusqu'en 1868. Elle passait par l'actuelle rue de la Princesa, les anciens boulevards jusqu'à Colon, promenade du Prado, rue de Segovia et ronda de Toledo.

Le Siècle des Lumières à Madrid

L'avènement des Bourbon entraîne d'importants remaniements et des constructions qui vont changer, peu à peu, le profil de la ville. De nombreuses institutions naissent: les Académies royales et la Bibliothèque royale par exemple. Ce fut Charles III, le «Rey Alcalde» (roi maire), qui introduisit les améliorations les plus importantes. C'est sous son règne que l'on réalisa des plans de la ville qui démontrent

3

Le Paseo de la Castellana et la place de Castilla, au centre de laquelle se dresse le monument à Calvo Sotelo. La Castellana, qui fut autrefois l'avenue par excellence des résidences aristocratiques, est aujourd'hui bordée d'immeubles très hauts.

la transformation urbaine que subit celle-ci. Afin de trouver une solution à l'insuffisance des services et aux maigres recours économiques, on créa les Manufactures royales des Cristaux, Tapisseries et Porcelaines. Les Sociétés économiques d'Amis du pays (la plus connue étant la Madrileña) font aussi leur apparition. Elles prétendent favoriser l'industrie, l'agriculture et l'essor commercial. A la fin du XVIIIᵉ siècle (recensement de 1797), Madrid comptait presque 170 000 âmes.

Madrid devient bourgeois et démolit les murailles

Le XIXᵉ siècle commence avec l'invasion française. L'essor de Madrid s'arrêta durant le premier tiers du siècle. Les conséquences des premières mesures de la sécularisation se firent sentir: 38 couvents disparaissent (sur 68 existant) et 540 propriétés appartenant aux ordres religieux sont mises en vente. Ces propriétés passent aux mains de la bourgeoisie naissante. Des rues s'ouvrent, des places, de nouvelles maisons et des édifices publics sont construits à un rythme forcené. Ils essayent de résoudre le problème démographique de la ville car, au milieu du XIXᵉ siècle, 280 000 habitants se regroupaient dans la vieille muraille construite en 1625. En 1860 et afin de débloquer la ville, le Plan Castro fut approuvé et, en application de ce «Plan de Ensanche», on démolit l'ancienne muraille de Philippe IV. Madrid est définitivement urbanisé en trois zones: la vieille ville, le nouvel «ensanche» (nouveau quartier délimité par les Rondas) et les faubourgs. L'industrialisation avait fait des pas de géant. Les services et les industries modernes s'ajoutent aux petites usines traditionnelles: le gaz, l'industrie du chemin de fer, l'électricité, les fonderies métallurgiques, les imprimeries et l'industrie de la construction.

De 1900 à nos jours

Au début du XXe siècle, Madrid compte presque 580 000 habitants. Il en aura 950 000 en 1930. En 1929, afin de remettre en ordre l'essor de la ville, la Mairie convoqua un concours international dans le but d'obtenir un projet qui, tout en tenant compte de la croissance intensive, dessine le prolongement de la ville vers le nord.

En 1950, Madrid compte déjà un million et demi d'âmes et en 1960, il dépasse les deux millions.

Après le Plan de Stabilisation de 1959, Madrid commence son étape de développement. Une frénétique activité se déchaîne alors: il s'agit de rendre la ville «habitable» pour les voitures. Les boulevards ombragés disparaissent et les passages élevés et les parkings souterrains prennent leurs places. On construit aussi la M-30 tout au long du vieux torrent Abroñigal. En 1970, Madrid a déjà trois millions d'habitants. Le caractère de la ville change durant cette dernière décennie. Les bases pour la rendre plus habitable sont installées. Des quartiers sont urbanisés, le patrimoine construit est protégé par un plan spécial, la circulation est réduite au centre ville et les transports publics sont améliorés, un plan d'assainissement intégral est entamé, de nouveaux parcs sont construits, un nouveau plan d'urbanisme qui planifiera mieux le présent et le futur de la ville est mis en place. La ville veut être plus humaine et plus rationnelle. Avec toutes ces mesures, Madrid a pu devenir l'une des villes européennes des plus agréables et accueillantes. On y retrouve les traces de son passé mêlées aux rues nouvelles et aux modernes avenues.

Paseo de la Castellana et, au fond, la place d'Emilio Castelar.

Restes des anciennes murailles arabes de la Cuesta de la Vega et, au fond, les absides de la cathédrale.

PANORAMA GENERAL DE LA VILLE ET DE SES MONUMENTS

L'époque médiévale

A l'ombre de son «célèbre château» se regroupa une population musulmane qui habitait une petite médina civile aux ruelles tortueuses (elle s'étendait sur la Cuesta de la Vega, la rue Mayor, traversait le fossé de la rue de Segovia et s'étalait sur la colline des Vistillas et le quartier de la Morería) et qui cultivait ses potagers avec l'eau abondante des ruisseaux et des puits madrilènes. Après la reconquête par Alphonse VI, la population chrétienne s'installa dans la primitive médina musulmane. Les deux populations entretiennent durant des années une coexistence pacifi-

que. Le caractère ouvert typique de Madrid est alors en train de se forger.

Rendons-nous devant les ruines des murailles arabes qui se trouvent à la Cuesta de la Vega. Ce sont les vestiges des murailles construites par les maures durant les IXe et Xe siècles afin de fortifier la casbah et la petite médina. Son enceinte était à peine plus grande que les terrains occupés par l'actuel Palais royal et la place d'Oriente.

Les églises saint-Nicolas des Servites et saint-Pierre le Vieux, de style mudéjar, appartiennent à l'époque médiévale de la ville. Les autres églises de cette époque ne sont pas arrivées jusqu'à nous: les unes tombèrent en ruine car leur structure n'était pas soignée, d'autres furent démolies après la loi de sécularisation afin que le terrain ait d'autres destinées, d'autres encore périrent sous la pioche afin de créer de plus grands espaces urbains.

Les siècles de la Maison d'Autriche
Entre la rue de Bailén et la Puerta del Sol se trouvent les constructions les plus significatives de cette époque. Elles forment la zone connue sous le nom de «Madrid de los Autrias» (Madrid de la Maison d'Autriche): la Plaza Mayor, l'Hôtel de ville, la Prison de Corte, les monastères de Las Descalzas (les Déchaussées) et de l'Encarnación (Incarnation). La succession de ruelles tortueuses et de petites places irrégulières nous permet d'imaginer quel était le tracé urbain de la ville.

Il ne reste que quelques vestiges des palais construits à cette époque à cause de la mauvaise qualité des travaux et du manque d'intérêt architectural de ceux-ci. C'est pour cela qu'ils ont été en grande partie démolis ou tellement remaniés qu'on ne retrouve presque aucune trace de leur construction primitive. Les plus anciens, des XVe et XVIe siècles, se trouvent surtout à la Plaza de la Villa et ses alentours: la Maison des Lujanes, avec sa tour célèbre où, d'après la légende, fut retenu prisonnier le roi français François Ier, l'ancienne hémérothèque municipale, la maison d'Ivan de Vargas, la maison de Cisneros. Le XVIIe siècle nous offre le palais du duc d'Uceda, le palais de Cañete, la maison de Lope de Vega et la maison des Siete Chimeneas.

Les peintures de Rizzi et Carreño décorent le plafond et les murs intérieurs de l'église de saint-Antoine des Allemands.

La Maison des Siete Chimeneas.

Façade principale du palais de Villahermosa, actuellement siège de la collection de tableaux du baron Thyssen.

Au XVIIe siècle les églises et les couvents prolifèrent à Madrid à cause de l'installation définitive de la Cour et du patronnage compétitif développé par les rois, les nobles, les grands seigneurs, les ordres et les congrégations. Les ruelles étroites de la ville ne permettaient pas, sauf quelques exceptions, de construire des ensembles spectaculaires dont on ne pouvait contempler les façades prétencieuses de l'apogée du baroque par manque de perspective. Cette difficulté poussa les architectes à chercher des solutions dans les hauteurs afin que les tours et les coupoles, plus que les façades, portent les signes d'identité des différentes églises. C'est ainsi que nous verrons, sur des gravures du XVIIe et du XVIIIe siècles, le profil de la ville émaillé de chapiteaux stylisés, à cause des nom-

breuses églises et des couvents construits suivant ce style. Nous en trouverons encore de nombreux exemplaires: la cathédrale saint-Isidro, les Carboneras del Corpus, le Carmen Calzado, les Trinitarias Descalzas, les Calatravas, San Ginés, les Agustinas Recoletas, la Venerable Orden Tercera, la chapelle saint-Isidro, San Antonio de los Alemanes, les Benedictinas de San Placido, les Mercedarias Descalzas, les Comendadoras de Santiago et San Sebastián.

Les Bourbon et l'époque des «Lumières»
Les idées philosophiques en cours convainquirent les rois du besoin de moderniser le pays. Madrid, capitale du royaume, sera privilégiée. Les accès à la ville,

les environs, l'infrastructure et les services publics connaîtront alors de profondes réformes. C'est ainsi que surgissent des édifices institutionnels et scientifiques: la Poste, la Douane, les Académies royales, la Maison des Ministres, les Cinq grandes confréries, la caserne du Comte-duc, l'Hospice, le «Salón» du Prado, l'Hôpital général de San Carlos, la Porte d'Alcala.

Au début du XVIIIe siècle, l'aristocratie, imitant la Cour, construisit ses palais en donnant une grande importance à l'apparence extérieure, signe de représentation sociale. Durant la première moitié du siècle, suivant le style baroque pur, on peut contempler les palais d'Ugena, de Miraflores et de Perales, tous réalisés par Pedro de Ribera. Ils ont subi de profonds remaniements. Les palais les plus intéressants sont construits durant la seconde moitié du XVIIIe siècle. A cette époque, suivant le goût néo-classique, la noblesse aime habiter dans de belles résidences entourées de grilles et de jardins, qui embellissent les rues dans lesquelles elles se trouvent et la zone de la ville en général. Citons par exemple les palais de Liria, de Buenavista et de Villahermosa. Les meilleurs architectes de l'époque participèrent à leur construction: Ventura Rodríguez, Sabatini, Juan de Villanueva et Antonio López Aguado. La réalisation la plus importante est, sans aucun doute, la construction du Nouveau palais, logement de la famille royale.

Façade principale du palais de Liria, construit durant la seconde moitié du XVIIIe siècle.

Contrairement au siècle antérieur, au XVIIIe siècle la construction d'édifices religieux diminue et on soigne davantage la qualité architecturale des quelques églises qui naissent, tout au long du siècle, suivant des styles différents: baroque, San Cayetano, Montserrat, San José, San Miguel et les Salesas Reales; transition au néo-classicisme, San Marcos, Santiago et San Francisco el Grande; et, enfin, en pur style néo-classique, l'Oratoire du Caballero de Gracia.

Le Madrid «isabélin»

Ce sera la bourgeoisie qui construira, au XIXe siècle, les palais les plus beaux. C'est aussi elle qui promouvra les travaux d'urbanisme. Les styles architecturaux sont pleinement éclectiques, ce qui permet le goût personnel et individuel. On peut ainsi commander un palais «sur mesure». Dans les «ensanches» formés par les quartiers de Salamanca et Argüelles (promus par les financiers marquis de Salamanca et Pozas) et dans les quartiers des Salesas, des Jerónimos et de Recoletos s'installe le nouveau Madrid bourgeois. Les nouveaux quartiers du Madrid ouvrier naissent, au contraire, dans les faubourgs (à Vallehermoso, à Tetuán de las Victorias, à l'est de Narváez et du Retiro et vers Pacífico). Au centre de Madrid, les familles humbles se regroupent dans les typiques «corralas», logements qui s'ouvrent sur une cour commune et qui deviendront protagonistes des saynètes de Ramón de la Cruz et du Madrid le plus pur.

Tout au long du XIXe siècle, la construction d'édifices publics atteint un volume spectaculaire. On construit le Congrès des députés, le Sénat, la Bourse, la Bibliothèque nationale et la Banque d'Espagne. On construit aussi les principaux théâtres. On encourage les sciences avec la formation de Facultés et de Collèges universitaires et d'institutions comme l'Athénée de Madrid. On réalise des transformations urbaines comme celle de la Puerta del Sol et de la plaza de Oriente, des travaux publics: éclairage au gaz, le canal d'Isabelle II, le chemin de fer, etc.

La cathédrale de l'Almudena et l'église Santa Cruz sont les seules réalisations religieuses importantes qui furent construites durant le XIXe siècle. Elles sont sorties toutes deux de la main et du style éclectique du marquis de Cubas.

Façade de l'Ateneo de Madrid.

Notre siècle à Madrid

Il commence par un important paquet de mesures: on prolonge la Castellana, création de la Ciudad Lineal d'Arturo Soria, construction des grands hôtels de luxe (Ritz et Palace par exemple), inauguration du Métro, planification de la banlieue, organisation des accès et des correspondances du chemin de fer, on complète la Gran Vía, construit la Ciudad Universitaria, les Nuevos Ministerios, canalise le Manzanares et ouvre la Casa de Campo à tous les madrilènes. Durant les années cinquante, on construit les gratteciel de la plaza de España, les nouveaux quartiers périphériques de la petite bourgeoisie surgissent et Madrid absorbe les villages des alentours afin de former la grande métropole actuelle.

Durant les dernières décennies, Madrid devient une ville moderne qui transforme des zones comme la Castellana, la plaza de Colón et la plaza de Castilla alors que surgissent de nouveaux espaces où se concentrent les meilleurs exemplaires de l'architecture d'avant-garde, par exemple, le pâté de maisons de AZCA.

Lorsque nous arriverons pour la première fois à Madrid, nous aurons l'impression qu'ici tout va très vite. Mais il ne faut pas se laisser porter par cette impression. La ville nous offre, au contraire, ses rues pour se promener, pour découvrir peu à peu ses monuments et apprécier sa vie intense. Nous allons vous offrir quelques endroits à découvrir.

Le complexe AZCA, représentatif de l'architecture d'avant-garde de Madrid.

Place d'Oriente avec au centre le monument à Philippe IV et façade principale du Palais Royal.

PALAIS

Palais Royal (rue de Bailén)

L'ancien Alcázar, un manoir froid et inhospitalier construit par les arabes au IXe siècle et agrandi par la Maison d'Autriche, brûla complètement durant la nuit de Noël de 1734, au cours d'un des incendies des plus rapides et effroyables dont on se souvienne dans les chroniques. Les flammes firent disparaître une très belle collection de tableaux et d'objets artistiques. Mais il est vrai aussi que le sinistre donna à la nouvelle dynastie des Bourbon la possibilité de faire construire un édifice beaucoup plus apte à être le cadre de la vie officielle du royaume et la résidence royale, suivant l'exemple des principales cours euro-péennes. Philippe V fit venir Filippo Juvara d'Italie. Celui-ci lui proposa une énorme construction dans le genre Versailles et dans le style du projet que réalisa Bernini pour le palais français du Louvre, mais située hors de la ville à cause de ses grandes dimensions. Juvara mourut peut après avoir réalisé son projet. Le monarque fit alors venir Giovanni Battista Sachetti, disciple de l'antérieur, afin qu'il réalise la constuction du palais. Il lui imposa de le faire sur les terrains qui avaient été occupés par l'Alcazar de la Maison d'Autriche.

Sachetti commença les travaux avec l'intention de faire gagner en hauteur à l'édifice ce qu'il allait perdre en largeur. Il garantit aussi que, grâce à l'utilisation de la pierre, la nouvelle construction serait réfrac-

Salon du trône du Palais Royal.

taire aux incendies. La première pierre fut posée en 1738 et on dit que les fondations atteignirent la même profondeur que le Manzanares (qui coule aux pieds de la pente). Le travaux durèrent jusqu'en 1764 et les architectes Sabatini et Ventura Rodríguez y participèrent. Charles III fut le premier roi qui occupa le palais.

Son style est baroque classique avec un mélange d'influences française et italienne dans les éléments de construction et de décoration. Un quadrilatère de façades presque pareilles forment le splendide édifice. La succession de piliers et de colonnes adossées et la combinaison de granit et de pierre blanche sont, peut-être, les éléments les plus remarquables. Une solide base en pierre de taille saillante qui

forme le rez-de-chaussée souligne l'élégance classiciste de l'étage noble, défini par les supports adossés et le tracé soigné des fenêtres qui se trouvent dans l'entre-colonnes. Une balustrade couronne l'ensemble.

Actuellement, il accueille des événements du protocole royal, ce qui lui donne une vie propre. Une partie de ses salles est actuellement un musée qu'il faut absolument visiter afin de contempler l'un des palais les mieux meublés d'Europe. Il conserve le mobilier original. Signalons les salles décorées par Gasparini (qui furent les appartements privés de Charles III), le salon du trône et la salle à manger de gala. Il renferme aussi d'innombrables chefs d'œuvres: plafonds décorés de fresques de Corrado Giaquinto, Tiépolo

Salle à manger de réception du Palais Royal.

et Mengs, des tableaux de Goya, Watteau, Van der Weyden, Bosch, Velázquez et Le Caravage. La vie protocolaire et sociale des rois exigeait une série d'objets somptueux. Ces objets forment aujourd'hui des collections qui ont été enrichies par les rois successifs. Elles ont une valeur incalculable aussi bien du point de vue artistique qu'historique ou documentaire. Elles figurent parmi les plus belles du monde et comprennent des tapisseries, des porcelaines, de l'orfèvrerie, des capes royales, des vêtements lithurgiques, des horloges, des sculptures, des bronzes, des lustres, des meubles, des tapis, etc.

On peut aussi visiter d'autres musées monographiques dans l'ensemble du palais: le musée Royal, avec plus de 300 000 volumes et incunables; la Pharmacie royale, avec un laboratoire d'alchimiste du XVIIe siècle, des instruments médicaux et de pharmacie; l'Armerie royale, collection fondée par Philippe II afin de réunir et de conserver les armes de son père et les siennes, considérée la meilleure du monde dans son genre; le musée des Carosses, ensemble de véhicules utilisés par les rois entre les XVIe et XXe siècles, ainsi que des uniformes de cochers, des selles et des harnais.

Le Palais Royal se dresse dans un des plus beaux espaces de la ville, d'une grande qualité architecturale et urbaine car, lors de sa construction, les alentours furent aussi très soignés et très bien urbanisés. On y construsit la cathédrale, les jardins, la rue de Bailén avec le viaduc qui traverse le fossé de la rue de Segovia, la côte de San Vicente qui conduit à la Casa de Campo, les écuries et les casernes. Tous ces projets furent prévus en même temps que le palais mais réalisés plus tard, au cours du XIXe siècle et même durant notre siècle.

Palais de Liria (20, rue de la Princesa)
Entouré par un magnifique jardin qui empêche d'apprécier, de l'autre côté de la grille, la beauté néoclassique de sa façade, c'est, sans aucun doute, le plus bel exemplaire madrilène de résidence noble. La construction commença en 1773. Il fut commandé par Jacobo Stuart Fizt-James, troisième duc de Berwick et Liria, marié à une sœur du duc d'Alba et construit suivant les projets de Sabatini et Ventura Rodríguez. La résidence, appartenant à la Maison d'Alba, renferme une importante collection de chefs d'œuvres.

Palais du marquis de Salamanca (10, Paseo de Recoletos)
Siège actuel du Banco Hipotecario, il s'agit d'un des plus beaux palais construits par la nouvelle bourgeoisie du XIXe siècle. Le marquis de Salamanca, banquier et promoteur de travaux publics durant le règne d'Isabelle II, commanda la construction à Narciso Pascual y Colomer. Il est de style néo-renaissance italien.

Palais du marquis de Salamanca, actuellement siège du Banco Hipotecario.

Monastère des Déchaussées royales: façade et escalier principal.

EGLISES ET COUVENTS

Monastère des Descalzas Reales

(3, Plaza de las Descalzas Reales)

Fondé par la princesse Jeanne d'Autriche, fille de Charles Quint, il occupe l'ancien palais d'Alonso Gutiérrez, trésorier de l'empereur. Lorsque l'Alcazar devint résidence officielle de Philippe II, le palais fut mis à disposition de sa mère, l'impératrice Isabelle. C'est ici que naquit la fondatrice, durant l'été 1535, «dans les chambres fraîches qui s'ouvrent sur le verger». Les travaux de remaniement pour transformer le palais en couvent furent confiés à Antonio Sillero et Juan Bautista de Toledo (auteur des premiers dessins de l'Escorial), entre 1556 et 1564. Juan Gómez

de Mora y intervint durant le XVIIᵉ siècle. La façade de l'église est une austère et magnifique composition du style de El Escorial avec, sur la porte, l'écusson de la fondatrice.

Durant des siècles, des dames de sang royal et de l'aristocratie ont fait professe dans ce couvent où elles ont séjourné, ce qui explique l'extraordinaire accumulation de chefs d'œuvres qu'il renferme. Si on en juge par la splendide collection d'art sacré, portraits et tapisseries du musée actuel (ouvert au public en 1960 et protégé jusqu'alors par la vie claustrale), la vie contemplative devait avoir une grande importance pour ces femmes. Parmi les nombreuses représentations artistiques des XVᵉ au XVIIᵉ siècles, signalons l'importante décoration de la cage d'escalier, pleine d'effets et de perspectives, attribuée à Claudio Coello, des tableaux de Brueghel «le Vieux», Pantoja de la Cruz, Zurbarán, le Titien, Sánchez Coello et un salon de tapisseries basées sur des cartons de Rubens. On peut aussi y admirer des travaux d'imagiers aussi intéressants que Pedro de Mena ou Gregorio Hernández et un ensemble extraordinaire d'ornements lithurgiques. Il a été déclaré musée d'Intérêt mondial.

Monastère de la Encarnación
(1, Plaza de la Encarnación)
Institué par la reine Marguerite d'Autriche, épouse de Philippe III. Les travaux de construction durèrent cinq ans. Ils furent bénis en 1616 avec un accompagnement de grandes réjouissances. Son auteur est Juan Gómez de Mora qui, à cause de son jeune âge, suivit les idées de base de son oncle et maître, Francisco de Mora, architecte auteur de San José d'Avila. La façade de l'église, construite en pierre de taille et brique, d'une harmonie superbe, devint le modèle carmélite qui se répéta durant des décennies partout

Monastère de l'Incarnation: façade et chapelle qui conserve le reliquaire contenant le sang de saint Pantaléon.

Cathédrale de saint-Isidore, cathédrale provisoire de Madrid depuis 1885. Elle abrite le corps de saint Isidore, patron de la ville.

où il y avait un couvent, avec de très légères retouches. Le couvent souffrit un incendie durant le XVIIIe siècle et Ventura Rodríguez fut chargé de restaurer l'intérieur à l'aide de jaspes luxueux, de marbres et de bronzes, dans le style et l'esthétique de l'époque des Bourbons.

Il est très populaire à Madrid car il renferme le reliquaire qui contient le sang de saint Pantaléon qui se liquéfie miraculeusement chaque 27 juillet. Outre cette relique, le musée possède aussi de nombreuses reliques et une excellente collection de peinture, de sculpture et d'imagerie ainsi qu'un bel ensemble d'objets lithurgiques et d'autres objets intéressants qui se sont accumulés tout au long de l'histoire du couvent. Il s'agit de dots apportées par les femmes de la noblesse qui y faisaient professe ou bien de donnations des hôtes illustres.

Cathédrale de San Isidro (37-39, rue de Toledo)
Deux jésuites architectes, Francisco Bautista et Pedro Sánchez, furent les auteurs du tracé de cette église, ancienne chapelle du Collège impérial. La grande façade, parcourue par d'énormes colonnes suivant l'ordre géant de Michel-Ange, ne peut être contemplée de face car la rue est beaucoup trop étroite. Il faut donc la regarder de côté. Elle y gagne en perspective et en effet. Au centre de la façade, dans une niche, la statue de saint Isidro. La grille est couronnée par l'aigle bicéphale, symbole de la dynastie autrichienne fondatrice du Collège. A l'intérieur on trouve, dans des urnes du maître autel, les restes du patron de la Ville, saint Isidro, et de son épouse, sainte Marie de la Cabeza. Bien que la construction de l'église commençât en 1622, la décoration intérieure fut réalisée par Ventura Rodríguez au milieu du XVIIIe siècle.

Eglise des Salesas Reales, unique vestige de ce qui fut un grand couvent.

Las Salesas Reales (rue de Bárbara de Braganza)
Le couvent fut commandé par Bárbara de Braganza, épouse de Ferdinand VI, afin de recevoir une école pour les enfants nobles. On construisit, aux côtés, un palais qui devait être résidence royale mais que la reine n'habita jamais. Les travaux furent confiés à Francisco Carlier et se réalisèrent entre 1750 et 1758, en style baroque monumental. Ils revinrent très cher pour l'époque. A l'intérieur se trouvent les sépulcres des deux rois, respectant ainsi leur dernière volonté et contre la coutume qui voulait que les membres de la famille royale fussent enterrés au monastère de l'Escorial. La magnifique grille et le perron d'accès à l'église furent construits au début de notre siècle.

San Francisco el Grande (Plaza de San Francisco)
La fondation de l'église remonte au XIIIe siècle, lorsque saint François d'Assise lui-même choisit ces terrains afin d'y construire un modeste couvent de moines. Il devint un centre d'intérêt qui fit accroître la ville dans cette direction. Lorsque le couvent fut démoli, au XVIIIe siècle, l'église comptait une quarantaine de sépulcres de personnages illustres et vingt cinq chapelles. La nouvelle construction suivit le style néo-classique de l'époque, d'après le projet du frère Francisco Cabezas. Il le conçut comme une église circulaire couverte par une coupole imposante de 33 mètres de diamètre. Mais ce fut l'architecte Sabatini qui l'acheva, en 1776, résolvant les problèmes que posaient les grandes dimensions de la coupole. Remarquons la façade, organisée en deux étages soutenus par les classiques colonnes sur lesquelles se dresse l'énorme coupole. A l'intérieur, nous admirerons un chef d'œuvre sorti des pinceaux de Goya, «San Bernardino», réalisé durant la jeunesse du peintre.

Saint-François le Grand: façade principale.

Eglise de saint-Jérôme le Royal. Depuis sa construction, au XVᵉ siècle, elle a subi de nombreuses restaurations.

San Jerónimo el Real (4, rue de Moreto)

C'est un cas très particulier à cause de ses remaniements successifs et son importance historique pour la «Villa y Corte». Le roi Henri IV de Castille fonda, en 1462, un monastère hyéronimique sur le vieux chemin de El Prado. En 1501, les Rois Catholiques, devant l'état ruineux de la construction, décidèrent de changer le monastère d'endroit et de le transporter à son emplacement actuel. Les travaux, de style gothique, s'achevèrent en 1505. En 1510 on y célébra les premières Cortes convoquées par Ferdinand le Catholique. Depuis lors, c'est ici que prêtèrent serment les Princes des Asturies, que furent proclamés les rois, célébrés les mariages royaux et d'autres évé-

nements importants. C'était, en outre, un lieu de repos car, depuis Charles I déjà, il existait la «Vieille salle» dans laquelle les rois passaient les jours de deuil et de carême. Avec le temps, le couvent s'agrandit jusqu'à devenir le centre original du grand ensemble du palais du Buen Retiro que construisit le comte-duc d'Olivares pour distraire Philippe IV. Durant tout le XIXᵉ siècle, le bâtiment subit diverses vicissitudes. Il fut à moitié détruit. Il fut restauré devant le souhait d'Isabelle II. Narciso Pascual y Colomer se chargea des travaux suivant un style inspiré dans l'architecture castillane du déclin du gothique.

Cathédrale de l'Almudena.

Ermitage de saint-Antoine de la Florida.

Cathédrale de la Almudena (Cuesta de la Vega)
Réalisées par le marquis de Cubas, suivant son style
éclectique et historiciste caractéristique, la cathédrale, dont on ne réalisa que la crypte néo-romane
en 1880, est une construction d'inspiration médiévale, en style gothique classique, dont la verticalité
et le style médiéval contrastent avec l'horizontalité
et le clacissisme du Palais royal qui se trouve à ses
côtés, prolongement des projets originaux du XVIIIᵉ
siècle. La façade principale, avec deux tours symé-
triques et identiques, fut achevée en 1960, avec de
grandes variations par rapport au modèle du marquis
de Cubas. Elle est dédiée à la Vierge de la Almudena,
patronne de la ville. Cette vénération remonte à très,
très loin. La tradition raconte que, durant l'occupa-
tion arabe, les habitants chrétiens de la ville cachè-
rent la statue de la Vierge dans un pan de la muraille
(en arabe almudaina) ou dans un magasin de blé
(almudit) qui se trouvait dans les parages. Elle fut
miraculeusement découverte lorsqu'Alphonse VI
reconquit la ville le 9 novembre 1085. Depuis lors,
la statue de la Vierge Marie reçut le nom d'Almudena,
nom populaire madrilène que reçoivent de nombreuses fillettes le jour de leur baptême.

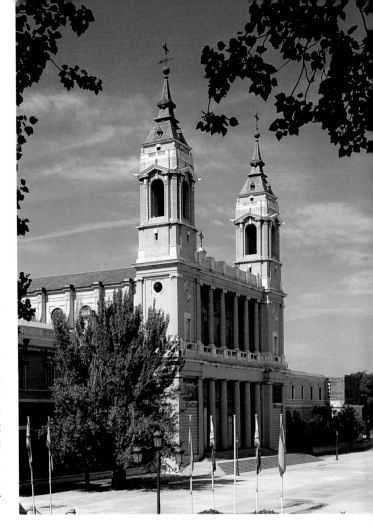

Les ermitages
Les ermitages méritent un chapitre à part. La Vierge
del Puerto, sur la promenade de même nom, fut construit en 1718, commandé par le marquis de Vadillo,
corregidor de la Villa, à Pedro de Ribera (qui le réalisa en style baroque pur), afin que les lavandières
qui travaillaient sur les rives du Manzanares puissent
assister à la messe. San Antonio de la Florida (Glo-
rieta de San Antonio de la Florida), fut construit
durant le règne de Charles IV, par Felipe Fontana, en
style néo-classique. Il doit son importance aux fresques qui décorent l'intérieur, réalisées par Francisco
de Goya en 1798, avec des techniques avancées.
L'ermitage de San Isidro n'a pas d'importance artistique mais oui une importance populaire grâce au
pèlerinage qui a lieu le jour de la fête du saint patron.
Nous retrouvons l'ambiance de ce pèlerinage dans
de nombreux tableaux de Goya.

Le Congrès des députés, face à la place de las Cortes.

Façade principale du Sénat.

EDIFICES PUBLICS

Congrès des Députés (Plaza de las Cortes)
C'est peut-être, après le Palais royal, l'édifice public le mieux réalisé et le plus important de Madrid. Il fut construit sur les terrains de l'église du Saint-Esprit dans laquelle se réunissaient les Cortes depuis 1834. L'Académie royale de San Fernando choisit le projet de Narciso Pascual y Colomer dont le dessin était inspiré dans les palais italiens du Quattrocento. Il ajouta, afin de rehausser la façade, un portique corinthien avec un fronton classique. Isabelle II posa la première pierre en 1843 et les travaux s'achevèrent en 1850. Les deux lions qui encadrent l'entrée furent fondus en 1860 avec le métal des canons capturés durant la guerre d'Afrique.

Le Sénat (Plaza de la Marina Española)
Il occupe l'ancien couvent des Agustinos Calzados qui a subi les remaniements nécessaires. L'église fut reconstruite au début du XIXᵉ siècle et c'est là que se trouve le Salon de séances des Cortes générales du royaume en 1814. C'est ici que, six ans plus tard, Ferdinand VII prêta serment sur la Constitution. L'intérieur est décoré par une belle collection de tableaux historiques, tellement appréciés durant la seconde moitié du XIXᵉ siècle. Le monument situé à l'entrée de l'édifice est dédié à Cánovas del Castillo, homme politique du siècle dernier.

La bibliothèque nationale est une des construction les plus solennelles de l'époque d'Isabelle.

Bibliothèque nationale (18, Paseo de Recoletos)
Elle fut construite afin de remplacer l'ancienne Bibliothèque royale créée par Philippe V en 1712. La construction du bâtiment actuel commença en 1866 sous les ordres de Francisco Jareño et fut achevée par Ruiz de Salces en 1892. Elle a le style classique propre de l'époque. Elle possède plus de cinq millions de livres, des manuscrits, des incunables, des bulletins, des images, des gravures et des revues. Nous trouverons dans son fonds le manuscrit du «Mio Cid» et la collection d'éditions de «Don Quichotte» avec plus de 3 000 exemplaires correspondants à des traductions en plus de trente langues.

La Bourse (Plaza de la Lealtad)
Fondée en 1813 par un décret de Ferdinand VII bien que l'initiative fut de Joseph I. Elle connut plus d'une demi douzaine de locaux avant de s'installer dans cet immeuble construit en 1884 par l'architecte Repullés y Vargas suivant le style officiel de l'époque.

Observatoire astronomique (Parc du Retiro)
Il fut construit sur l'initiative de Jorge Juan qui proposa au roi Charles III la création d'une Salle d'astronomie, complément indispensable au désir du monarche qui voulait établir une diffusion des sciences. Les travaux de cette Salle ne commencèrent cependant qu'en 1790, sous Charles IV. Le bâtiment, dessiné par Villanueva, est un des plus purs exemplaires du néo-classicisme à Madrid. Il est formé par une rotonde encadrée par quatre corps carrés situés en croix. Soulignons l'élégance de son portique aux colonnes corinthiennes et la sveltesse du petit temple supérieur.

Douane (11, rue d'Alcalá)
Dessinée par Sabatini sur la commande de Charles III, en 1769, en style néo-classique, avec une façade sobre dépourvue de décoration, avec un saillant au rez-de-chaussée qui souligne l'édifice achevé par une

La Bourse du commerce, construction qui s'inspire de la Bourse de Vienne.

énorme corniche. Le tracé accuse l'influence des palais romains de l'époque. Elle est occupée aujourd'hui par les bureaux du Ministère des finances.

Manufacture des tabacs (55, rue des Embajadores)
Il s'agit de l'un des rares exemplaires de l'architecture industrielle du XVIIIᵉ siècle. Construite en 1790 pour la fabrication de liqueurs, d'eaux de vie, de cartes et de papier timbré, elle fut reconvertie sous le règne de Joseph Bonaparte et c'est à partir de cette époque qu'on y commença la fabrication de cigares et de râpé.

Caserne du Comte Duc (9, rue du Conde Duque)
Construite en 1720 par Pedro de Ribera (afin de loger le Corps de gardes du corps). C'est une énorme bâtisse formée par un rectangle qui se structure autour de trois cours, la centrale étant la plus grande. Réalisée en brique rouge, d'une grande simplicité décorative, nous remarquerons la grande façade en pierre avec une profusion de sculptures représentant des drapeaux, des blasons et des trophées militaires.

L'Hospice (78, rue de Fuencarral)
Ces installations accueillent aujourd'hui les collections du Musée municipal. Chef d'œuvre de Pedro de Ribera, les travaux de l'Hospice général des pauvres de l'Ave Maria commencèrent en 1722 et ne s'achevèrent qu'en 1799. Symbole du baroque madrilène, la construction possède une importante façade qui provoca durant plus d'un siècle, la colère des néo-classiques, à cause de l'exubérance des éléments décoratifs propres de l'auteur: moulures, blasons, écussons, vases, fleurs, etc. Sur la porte, une niche protège une statue de saint Ferdinand, réalisée par Juan Ron. Dans les jardins postérieurs, sous les arbres touffus, nous trouverons la fontaine de la Fama (Renommée), dessinée par Pedro de Rivera suivant son style caractéristique.

La Bibliothèque municipale avec sa caractéristique façade baroque.

La Porte d'Alcala est un des monuments les plus représentatifs de Madrid.

La Porte d'Alcala était une porte d'entrée à l'enceinte de la ville. ▷

Prison de Corte (Plaza de la Provincia)
Actuel Ministère des Affaires étrangères, c'est un édifice construit au XVIIᵉ siècle par Cristóbal de Aguilera, d'après les plans de Gómez de Mora. Il fut achevé en 1643 par José de Villareal. Sa façade principale, exemplaire de l'architecture baroque madrilène, est encadrée par deux tours avec chapiteau et réalisée en brique, ce qui contraste avec la pierre utilisée pour les impostes, les chaînes, les ouvertures des balcons et le portail central qui concentre toute la décoration. Elle fut construite afin de remplacer la vieille prison qui avait, dit-on, accueilli Lope de Vega et qui ne réunissait pas les mesures de sécurité nécessaires et qui mettait fin à la tradition d'enfermer les prisonniers dans des maisons particulières.

MONUMENTS SINGULIERS

Porte d'Alcalá (plaza de la Independencia)
C'est, sans aucun doute, le monument le plus célèbre et le plus représentatif de Madrid. Charles III la fit construire en tant qu'arc de triomphe dans son désir de donner à la ville de beaux accès. Francisco Sabatini fut l'architecte choisi, parmi les nombreux postulants. Il la dessina dans le style néo-classique le plus pur, seulement troublé par les couronnements sculpturaux réalisés par Francisco Gutiérrez et Roberto Michel. Réalisée en granit et en pierre blanche de Colmenar, elle est formée par cinq arcs. Les deux des extrémités dégénèrent en ligne droite et les trois autres sont en plein cintre. Bien qu'ils soient

La Porte de Toledo, une autre des portes d'entrée à la ville. Sa construction commença durant le règne bref de Joseph Bonaparte et s'acheva à l'époque de Ferdinand VII à qui elle fut dédiée.

tous de la même hauteur, celui du milieu semble plus haut à cause de l'attique qui le couronne. La porte est décorée de piliers et de colonnes ioniques.

Porte de Toledo (sur la place de même nom)
Cette zone a été urbanisée sous le règne de Charles III mais la construction de la porte ne commença que sous le règne de Joseph I et ne fut achevée qu'à l'époque de Ferdinand VII. Construite par Antonio López Aguado, en 1827, suivant le style néo-classique. Elle est couronnée d'allégories de l'Espagne protégeant les Arts.

Pont de Segovia (au bout de la rue de Segovia)
Ce pont et celui de Toledo sont, sans aucun doute, les monuments les plus curieux de Madrid car leur monumentalité contraste avec le faible débit du Manzanares. Le pont de Segovia fut construit sous Philippe II. Ce roi avait établi que la capitale de l'Espagne serait Madrid et il fallait donc embellir la ville et la doter de beaux monuments. C'est dans ce but qu'il demanda à Juan de Herrera de dessiner, en 1532, le projet d'un pont aux lignes austères, sans autre décoration que le rythme renaissance de ses arcs et les typiques boules herrériennes sur les parapets.

Le pont de Segovia. A gauche, l'ermitage de la Virgen del Puerto.

Le pont de Toledo, le Viaduc et vue partielle de la gare d'Atocha.

Pont de Toledo
(entre Pirámides et Marqués de Vadillo)
Il fut construit sous le règne de Philippe V, mais ce fut le marquis de Vadillo, *corregidor* de Madrid de 1715 à 1729, qui se trouvait surtout derrière ce projet. Il comprit vite le besoin de remplacer le vieux pont en bois qui enjambait le fleuve dans cette zone très fréquentée. C'est par là qu'entraient dans la ville les produits venant de La Mancha dont on fournissait la ville. L'architecte Pedro de Ribera reçut l'ordre d'effectuer les travaux, ce qu'il fit dans son style particulier, en granit. Le pont possède neuf arcs égaux. Deux beaux petits temples se dressent, de chaque côté du pont, sur l'arc central. On voit, dans ces niches, les statues de saint Isidro et de sainte Marie dela Cabeza, sculptées par Juan Ron.

Le Viaduc (rue de Bailén)
Il se trouve à la rue de Bailén, sur la rue de Segovia. Il relie la zone de Palacio à celle de Vistillas. Le projet, qui avait été conçu lors de la construction de l'actuel Palais royal, ne se réalisa qu'à la fin du XIXe siècle. On en fit alors un en fer. Le viaduc actuel est de l'architecte Francisco Javier Ferrero et des ingénieurs José Juan Aracil et Luis Aldaz. Il est en béton armé et fut inauguré en 1942.

Gare d'Atocha (Glorieta del Emperador Carlos V)
En 1851, la reine Isabelle II inaugura la première gare de chemin de fer de Madrid. Le train faisait alors la ligne Madrid-Aranjuez. Il était populairement connu sous le nom de «train de la fraise». La première gare fut détruite par un incendie. On construisit alors la gare actuelle, en 1892, d'après les plans d'Alberto de Palacio qui dessina deux grands pavillons en brique entre lequels se dressait la grande toiture en fer et en verre sous laquelle se trouvaient les voies et les quais. Actuellement on est en train d'y réaliser de profondes réformes.

La populaire porte del Sol, sur une place elliptique. A droite se trouve l'ancienne Poste centrale qui accueille actuellement les bureaux de la Communauté de Madrid.

Le kilomètre zéro et la statue de Mariblanca, à la porte del Sol.

PLACES

Puerta del Sol

C'est l'un des endroits les plus fréquentés et les plus populaires de Madrid depuis toujours. C'est donc pour cela qu'elle a vécu des événements importants dans l'histoire de la ville et d'Espagne: le soulèvement du 2 mai 1808, représenté par Goya dans son tableau «La charge des mameluks»; la proclamation de la IIe République, en 1931; le premier éclairage au gaz, en 1830; et l'inauguration de la première ligne de métro, Sol-Cuatro Caminos, en 1919. C'est aussi le kilomètre zéro des routes du pays.

Elle naquit au XVe siècle, dans les faubourgs de la ville, entourée par la muraille, avec une porte orientée «vers le soleil», de là son nom. Depuis 1560, plusieurs établissements se sont ouverts ici, librairies, tavernes et bijouteries. Ils contribuèrent à créer une rivalité avec la Plaza Mayor afin de savoir laquelle allait devenir le centre de la ville. Il faut aussi ajouter à son charme la fontaine de la Mirablanca, dont on peut voir aujourd'hui une réplique sur une colonne d'un des angles de la place.

Le remaniement définitif de la place eut lieu durant le règne d'Isabelle II. Il se fit d'après les plans des ingénieurs Lucio del Valle, Juan Rivera et José Morer. Ils lui donnèrent la forme elliptique qui la caractérise. On ne conserva que la Poste (aujourd'hui siège du gouvernement autonome), réalisation de Jaime Marquet en 1761, avec une horloge qui signale aux madrilènes l'arrivée de l'an nouveau. Il y a quelques années, on changea les lampadaires, les fontaines, les bancs, les marquises et les kiosques, on peignit les façades et on modifia la canalisation de la circulation. Ces réformes soulevèrent une grande polémique à cause du dessin très moderne des lampadaires qui, sous la pression populaire, durent être remplacés par des exemplaires classiques de l'époque de Ferdinand.

L'ours et l'arbousier, un des symboles les plus emblématiques de Madrid, à la porte del Sol.

Plaza Mayor

C'est Philippe III qui fit édifier la place car il souhaitait une construction qui donne du prestige à son règne. La réalisation fut confiée à Juan Gómez de Mora. Il la construisit sur l'ancienne place de l'Arrabal, important marché de la ville au XVIe siècle. Les travaux commencèrent en 1617 et s'achevèrent deux ans plus tard. Le projet était absolument innovateur pour la ville par son rationnalisme et son sens urbain. Son style baroque madrilène sera le style caractéristique de l'époque de la Maison d'Autriche. On respecta la *casa de la Panadería* (Boulangerie) dont le rez-de-chaussée abritait la boulangerie de la Ville, construite par Diego Sillero en 1590. En face, la *casa de la Carnicería* (Boucherie). Sous les arcades, de nombreux ateliers d'artisans et de magasins. Il y a, sur la place, 136 maisons, avec 437 balcons depuis lesquels 50 000 personnes pouvaient contempler les spectacles et les fêtes qui s'y déroulaient: tournois, corridas, proclamations de rois, mariages royaux, autodafés, exécutions et fêtes populaires. La béatification et la canonisation de saint Isidro et d'autres saints populaires, comme sainte Thérèse de Jésus, eurent lieu sur cette place. Le caractère de la Plaza Mayor n'a pas changé au cours du temps; c'est toujours le lieu de rencontre et de promenade des madrilènes. Au centre, on peut contempler la statue, de Pietro Tacca, qui représente Philippe III, son promoteur et le premier roi de la dynastie autrichienne qui naquit à Madrid.

Vue générale de la Plaza Mayor.

La maison de la Panaderia et le monument à Philippe III, à la Plaza Mayor.

Plaza de la Villa

Cette place est très connue à Madrid car c'est depuis ici que la ville a été gouvernée depuis la nuit des temps. Les vosins se réunissaient à l'église de san Salvador. Ils avaient formé, au XIVe siècle, sous les recommandations d'Alphonse XI, une organisation municipale. C'est ainsi que naquit la Mairie de Madrid. Lorsque l'église fut démolie, on décida de construire alors un bâtiment qui pourrait servir d'Hôtel de ville. On réalisa les travaux sur des terrains proches, d'après les plans de Juan Gómez de Mora, suivant le style baroque typique madrilène. La construction commença en 1640. Elle remplit depuis lors les fonctions d'hôtel de ville et n'a eu à souffrir que quelques petites transformations sur le balcon qui s'ouvre sur la Calle Mayor. Il est dû à Juan de Villanueva et sa finalité était que la reine et ses dames puissent contempler la procession de la Fête Dieu. La place est irrégulière et possède de nombreux édifices singuliers, des plus anciens de Madrid, des XVe et XVIe siècles. Mais le plus attrayant de cette place et des rues environnantes est la tranquillité qui l'habite, qui nous invite à parcourir ses recoins silencieux, témoins du Madrid de la Maison d'Autriche. La statue située au centre rappelle Alvaro de Bazán. Elle fut réalisée par Mariano Benlliure, en 1888.

L'Hôtel de ville de Madrid, sur la place de la Villa.

La place d'Oriente avec, au fond, le Palais Royal.

Plaza de Oriente

Elle s'appelle ainsi car elle se trouve aux côtés de la façade orientale du Palais royal. C'est Joseph Bonaparte qui la créa car il voulait un espace urbain qui permît de contempler les belles façades du palais. La construction complète de la place eut lieu sous le règne d'Isabelle II, d'après les plans d'Augustin Argüelles et Martín de los Heros.

En 1843 on installa au centre de la place la statue de Philippe IV, magnifique sculpture du XVIIe siècle, réalisation de plusieurs artistes: Pietro Tacca sculpta le bronze d'après la maquette que réalisa Martínez Montañés; le dessin de la tête fut copie du portrait équestre de Philippe IV que peignit Velázquez et Galileo Galilei calcula le centre de gravité de la statue afin de maintenir son équilibre. On installa ensuite les statues des rois espagnols qui encadrent les jardins et qui avaient été sculptées pour orner la balustrade du Palais royal.

Les immeubles qui entourent la place furent construits durant le XIXe siècle, en particulier le Théâtre royal. Autrefois, ces terrains étaient occupés par les fontaines et les lavoirs publics du faubourg, connus aussi sous le nom de Caños del Peral. En 1704, des comédiens ambulants s'y installèrent. Ils furent à l'origine du théâtre qui fonctionna jusqu'au début du XIXe siècle. En 1818, son état ruineux en recommandait la démolition. On commença alors la construction du Théâtre royal, d'après les plans d'Antonio López Aguado. Les travaux furent paralysés plusieurs fois jusqu'à ce qu'Isabelle II donna l'ordre de les achever, en 1850. Le théâtre fut inauguré le 19 novembre avec l'opéra «la Favorite», de Donizzetti.

Façade du Théâtre royal et monument à Philippe IV, à la place d'Oriente.

Les jardins exhubérants du Campo del Moror. Au premier plan, la fontaine des Tritons. ▷

La fontaine de la Cibeles, sculpture en marbre, un autre des symboles représentatifs de Madrid.

Plaza de Cibeles

Populairement connue par les madrilènes sous le nom de «la Cibeles», c'est l'une des places les plus célèbres de la ville. Au centre, le bassin avec la déesse Cybèle. Ce bassin fut commandé par le roi Charles III afin de fermer un des côtés du Salón del Prado. Le dessin est de Ventura Rodríguez et les sculpteurs furent Roberto Michel et Francisco Gutiérrez qui se chargèrent des lions et de la statue féminine. C'est aussi un des plus beaux endroits de Madrid avec ses perspectives de promenades et d'avenues qui y débouchent. Les immeubles qui l'entourent rehaussent sa qualité urbaine.

La Banque d'Espagne fut créée par Echegaray en 1874 en tant qu'unique émetteur de la monnaie. Eduardo Adaro et Severiano Sainz de Lastra furent les auteurs du projet qui se réalisa entre 1884 et 1891, dans un style inspiré dans l'architecture des palais italiens et français. Elle possède de nombreux chefs d'œuvres et plusieurs Goya.

La populaire place de la Cibeles.

La fontaine de la Cibeles et le Palais des communications.

Le palais des Communications fut construit d'après les plans des architectes Palacios et Otamendi qui introduisirent à la structure intérieure une série d'idées très en avance sur l'époque. L'énorme façade est de style monumentaliste.

Le palais de Linares est un des meilleurs exemplaires de l'architecture de palais du XIXᵉ siècle, avec une belle façade néo-baroque. On le doit à Carlos Colubi qui le construisit pour répondre aux souhaits d'un homme d'affaires ennobli par le titre de marquis de Linares.

Le palais de Buenavista, siège actuel du Quartier général de l'Armée, fut construit à la fin du XVIIIᵉ siècle par Juan Pedro Arnal. Il était alors demeure de Cayetana de Alba, duchesse immortalisée par Goya mais qui mourut avant la fin des travaux. Il appartint ensuite à Manuel Godoy, premier ministre de Charles IV et prince de la Paz.

Place d'Espagne.

Plaza de España

Cette grande esplanade est un point de rencontre et un centre de communications. Les platanes des côtés sont une agréable toile de fond au jardin central qui encadre le monument à Cervantes, dessiné en 1915 par Teodoro Anasagasti et Mateo Inurria. Ils voulurent lui faire représenter les valeurs hispaniques. Les deux gratte-ciel qui furent construits durant la décennie des années cinquante, couronnement de la Gran Vía, sont des éléments caractéristiques de cette place. Ces deux immeubles sont dûs aux frères Otamendi.

Détail du monument à Cervantes, sur la place d'Espagne.

Le monument à Cervantes, au centre de la place d'Espagne. A gauche, la Tour de Madrid et au fond l'immeuble Espagne.

Plaza de Colón

Les jardins du Descubrimiento occupent le centre de la place. Ils sont présidés, sur le côté oriental, par l'ensemble de grands blocs allégoriques avec lesquels Vaquero Turcios voulut représenter l'aventure de Colomb. Dans un angle de l'esplanade se dresse le monument à Colomb, dessiné par Arturo Mélida, en 1885, en style néo-gothique.

Sous cette place, il y a les installations du Centre culturel de la Villa de Madrid, cachés par un beau rideau d'eau, assez bruyant. On y trouvera un auditorium, des salles d'expositions et un théâtre qui accueille des actes d'intérêt culturel et citadin. Et enfin, sur un côté de la place se dresse, depuis 1976, les «tours de Colomb», un exemplaire de l'«architecture suspendue», révolution technologique d'une certaine époque. L'architecte: Antonio Lamela.

La place de Colón et les jardins du Descubrimiento (de la Découverte).

Divers aspects de la place de Colón: les Tours de Colón et l'entrée souterraine au Centre culturel de la Ville; monument à Colón et sculptures du jardin del Descubrimiento.

La fontaine de Neptune, au Paseo del Prado.

La fontaine d'Apolo, au centre du Paseo del Prado.

ENSEMBLES ET PROMENADES INTERESSANTS

Le Paseo del Prado

Cet endroit a toujours été zone de promenade et centre de réunion car il propose, hors de la ville, un lieu agréable, avec des arbres et des potagers arrosés par le ruisseau qui le traversait du nord au sud. Il conservera ce caractère tout au long du XVIIe siècle mais ce sera au XVIIIe, que Charles III et son ministre, le comte de Aranda, en firent le meilleur exemplaire des idées avancées de l'époque en y créant une zone scientifique et culturelle dans laquelle se conjuguent l'utilité, la beauté et l'amusement. Ils puiseront dans les projets de José Hermosilla qui fit aplanir les terrains, canalisant et recouvrant le ruisseau, réformant les plantations afin de conserver l'ombre mais laissant une large promenade pour laquelle Ventura Rodríguez dessina des fontaines monumentales que l'on peut encore contempler: Les Cuatro Fuentes (Quatre fontaines), situées sur la plaza de Murillo, des deux côtés de la promenade, réalisées en marbre de Redueña; la fontaine de Neptune, sculptée en marbre de Montesclaros par Juan Pascual de Mena, qui représenta le dieu sur un char ayant la forme d'une conque tirée par des chevaux marins; la fontaine d'Apollon, qui est représenté sur un haut piédestal, entouré par les quatre saisons, sculpté par Giraldo Bergaz et Manuel Alvarez; et enfin, à la fin de la promenade, sur la place portant le même nom, la fontaine de la déesse Cybèle.

Le projet comprenait aussi un portique avec des colonnes, qui longeait un des côtés de la promenade. Il ne fut jamais réalisé mais il devait accueillir des cafés et des chocolatiers, repos des promeneurs et refuges en cas de pluie. L'autre côté était bordé par les immeubles destinés à la recherche. C'est ainsi que naquirent le Jardin botanique et le musée d'Histoire naturelle, actuel musée du Prado. Ils furent tous deux dessinés par Juan de Villanueva en style néo-classique, style dominant tout au long de la promenade.

C'est, aujourd'hui encore, une promenade très fréquentée par les gens qui se rendent aux musées situés dans la zone. C'est un endroit agréable, large, avec des jardins, des fontaines et de magnifiques constructions comme, par exemple, la Bourse et le Monument au Soldat inconnu (en mémoire des morts pour la patrie). Ces deux constructions datent du XIXe siècle et se trouvent sur la plaza de La Lealtad.

La place de Neptuno.

Recoletos et La Castellana

Elles surgissent au XIXe siècle, conséquence directe de l'expansion de la ville vers le nord. C'est ici que la haute bourgeoisie choisit de construire ses palais, aujourd'hui en grande partie disparus ou transformés en centres de finances ou officiels. Ces deux avenues avaient un caractère tranquille et aristocratique. Cependant, malgré la circulation intense de la chaussée, on peut encore s'y promener grâce aux jardins centraux qui accueillent de nombreuses terrasses bruyantes, surtout les soirs d'été.

La Castellana est devenue le quartier préféré des banques et des entreprises qui y installent leurs sièges car on y a construit des immeubles suivant les dernières tendances architecturales. Il est agréable de se promener sur le boulevard central, ombragé, et d'arriver, en marchant tranquillement, jusqu'au musée de Sculpture en plein air, situé sous le passage élévé qui relie la promenade del Cisne et la rue de Juan Bravo. Nous pourrons y admirer des sculptures d'avant-garde réalisées par Julio González, Manuel Rivera, Andrés Alfaro, Eusebio Sempere, Eduardo Chillida et Joan Miró parmi tant d'autres. Sur la plaza de San Juan de la Cruz se trouvent les immeubles des Nouveaux ministères construits sur les terrains de l'ancien Hippodrome. A partir de là, La Castellana perd son caractère de promenade et devient un genre de boulevard périphérique.

Deux aspects de la Castellana. Vue inférieure gauche: entrée à la Bibliothèque nationale.

*Le Paseo de la
Castellana va de la
Place de Colón à celle
de Santa Cruz (photo
inférieure) où se
trouvent les Nouveaux
ministères.*

Perspective de la rue d'Alcalá, la porte d'Alcalá et, à gauche, le Parc du Retiro.

La Calle de Alcalá

C'est, sans aucun doute, la plus connue des rues de Madrid et aussi une des plus longues. Mais la promenade ne vaut le coup qu'entre la Puerta del Sol et la plaza de la Independencia.

La formation de cette rue se doit à l'inclusion, peu à peu, de tronçons du chemin qui conduisait à l'Université d'Alcalá de Henares et qui s'incorporaient au périmètre de la ville. Ce fut donc, depuis toujours, un chemin très fréquenté, qui a vu sa physionomie se transformer. Les vergers, les oliviers, les auberges et les relais disparurent et furent remplacés, durant l'époque de la Maison d'Autriche, par des hôpitaux, des croix, des couvents et des églises desquelles il ne reste que celle de Las Calatravas. C'était

l'église du couvent de sœurs de cet ordre militaire, couvent qui fut démoli en 1872.

Plus loin, au croisement entre cette rue et la Gran Vía, nous trouverons une autre église qui appartenait aussi à un ancien couvent qu'elle a perdu. C'est aujourd'hui la paroisse saint-Joseph. Réalisée en 1733 par Pero de Ribera, sur une construction antérieure, sa façade a les caractéristiques typiques de cet artiste, avec des pans en briques encadrés par des chaînes de pierre et, surtout, l'axe vertical qui, en partant du portique, monte au plus haut de la construction.

Durant la seconde moitié du XVIIIe siècle, la rue d'Alcalá échangera son caractère religieux contre le financier. La construction de la Douane fut précur-

Façade de l'église des Calatravas, du XVIIe siècle.

seur de ce changement. Mais c'est au début du XXe siècle que la rue prend son allure actuelle. Elle est choisie par des banques, des compagnies d'assurances et de grandes entreprises qui viennent y installer leur siège social et y construisent les immeubles les plus élégants de la ville. Il y a encore de la place pour l'art, la culture et le plaisir. C'est ce que nous démontrent l'Académie royale des Beaux arts de San Fernando, le Cercle des Beaux arts et le Casino de Madrid. A la fin du tronçon signalé se trouve la Puerta de Alcalá.

Un aspect de la rue d'Alcalá.

La Gran Vía, près de la rue d'Alcalá.

La Gran Vía

Il faut connaître cette rue, animée et commerçante, qui devint célèbre alors qu'elle n'était encore qu'un projet grâce à l'opérette «La Gran Vía». En 1910 les travaux commencèrent, d'après le projet de López Salaberry et Octavio Palacios.

Le tronçon qui se trouve entre Alcalá et la Red de San Luis est le plus homogène dans ses constructions, réalisées entre 1914 et 1917. Elles sont caractérisées par l'éclecticisme qui les uniformise.

Dans le second tronçon, de la Red de San Luis à la place del Callao, on avait prévu un boulevard qui fut supprimé au cours des travaux. On peut déjà y apprécier le fonctionnalisme de l'architecture. L'immeuble le plus remarquable de ce tronçon est celui qui fut conçu par Ignacio Cárdenas en collaboration avec l'américain Weeks et qui abrite la Compagnie Téléphonique. Achevé en 1929, ce fut le premier gratte-ciel de Madrid et sa hauteur, 81 mètres, ne fut permise que parce qu'il s'agissait d'un immeuble d'utilité publique. Le dernier tronçon commence à la populaire place del Callao qui, entourée de cinémas et de grands magasins, est une des plus fréquentées. De là à la plaza de España, les constructions sont beaucoup plus variées et ne conservent aucune relation entre elles. Les hauteurs et les styles sont différents. Il faut souligner l'aspect moderne de deux de ses bâtiments les plus caractéristiques: le palais de la Presse, dessiné par Pedro Muguruza en 1924 et l'immeuble Carrión, plus connu sous le nom de Capitol, com-

Aspect de la rue d'Alcalá au carrefour avec la Gran Vía.

mencé en 1931 d'après un projet de Luis Martínez Feduchi et Vicente Eced.

Actuellement, c'est la grande variété de magasins, cafeterias et cinémas qui donnent à cette rue son caractère populaire faisant d'elle la plus agitée et la plus cosmopolite de Madrid.

L'immeuble de la Compañía Telefónica, à la Gran Vía. Ce fut le premier gratte-ciel construit à Madrid.

La place du Callao et la Gran Vía.

La chapelle de saint-Isidore fut construite pour recevoir la relique du corps de saint Isidore. Mais le corps fut installé, au XVIIIᵉ siècle, à la cathédrale de saint-Isidore.

Le quartier de la Morería

C'est un des plus anciens quartiers de Madrid, avec une succession de petites places irrégulières et de ruelles tortueuses qui permettent de deviner quel était le tracé urbain de la ville à l'époque médiévale. Se promener à travers ces ruelles aux noms évocateurs tels Granado, Redondilla, Mancebos, Alfonso VI ou ces places del Alamillo, de la Morería, de la Paja, pleines d'histoire et de légende, c'est se transporter au Madrid reconquis qui enferma la population musulmane dans cette zone. C'est à cela que ce quartier doit son nom. Il devait avoir sa mosquée située, propablement, là où, en 1312, Alphonse XI fit construire l'église saint-Pierre le Vieux, réalisée en style mudéjar et de laquelle il ne reste que la tour. A la fin du XVᵉ siècle, le quartier connaît un nouvel essor. On y construit les palais des Lasso de Castilla, des Vargas, des Alvarez de Toledo et des Luján. Ils furent remplacés, au cours du XIXᵉ siècle, par les maisons de rapport que l'on peut y voir aujourd'hui. Entre les places de la Paja et de Los Carros, nous pourrons admirer l'un des ensembles architecturaux les plus curieux de la ville. Il est formé par l'église San Andrés, totalement remaniée après 1936; la chapelle de l'Obispo, du XVIᵉ siècle, dont l'intérieur renferme un retable et trois sépulcres, véritables joyaux de la sculture renaissance castillane; et la chapelle de San Isidro, construite durant le XVIIᵉ siècle afin d'y conserver les reliques du saint patron de Madrid.

La place de la Paja, sur laquelle on vendait autrefois la paille qui provenait des champs appartenant à la fondation de la chapelle de l'Evêque avec, au fond, la chapelle de l'Evêque et la coupole de la chapelle de saint-Isidore.

L'Arc de la victoire, sur la Place de la Moncloa. Il fut construit en 1955.

La Moncloa et la Cité Universitaire

A partir de 1939, toute cette zone fut totalement remodelée à cause de la construction du Quartier général de l'Armée de l'air. Luis Gutiérrez Soto prétend faire revivre, dans cette réalisation, le style herrérien et baroque qui avait généralement marqué les constructions de Madrid.

Tout le quartier est fréquenté par la jeunesse à cause de la proximité de la Cité universitaire qui a sa porte d'entrée virtuelle à l'Arc de triomphe, construit suivant les dessins de Modesto López Otero. Celui-ci

L'Arc de la victoire et les bâtiments de la Caserne générale de l'air.

«La relève de la torche», d'Ana Vaughan Hyatt, à la Cité universitaire.

avait déjà, en 1929, fait les ébauches des édifices et des installations de cet ensemble universitaire dont l'axe était l'avenue Complutense et qui comprenait les différentes facultés, les pistes de sport et les internats, le tout entouré d'agréables jardins. L'architecte dessina ce projet afin de répondre aux désirs du roi Alphonse XIII.

Dans les alentours se dresse le palais de La Moncloa, résidence officielle du Président du Gouvernement.

Le palais de la Moncloa.

Le lac de la Casa de Campo et ses grands jardins, lieu
de rendez-vous des madrilènes.

Un recoin du Parc d'attractions, dans les jardins de la Casa de Campo.

PARCS ET JARDINS

Un pavillon du parc du Retiro.

La Casa de Campo

C'est le plus grand parc de Madrid, avec 1747 hectares. Sa végétation est typiquement méditerranéenne. Il fut fondé durant le règne de Philippe II qui acquit ces terrains dans le but d'en faire une réserve de chasse royale. Mais une décision de la Seconde République les donna à la municipalité en 1931. Actuellement, il y a plusieurs zones dans le parc: le Zoo, le parc d'attractions et l'enceinte de la foire (avec le Palais de verre et des pavillons) pour la célébration des Arts ménagers. On y trouve aussi de nombreuses guinguettes sur les bords du lac, un lac que l'on peut traverser en barque.

Le palais de Verre du parc du Retiro.

El Retiro

C'est le parc le plus important de Madrid, non pour ses dimensions (112 hectares) mais pour son histoire, car ces jardins étaient un complément au palais du Buen Retiro que fit construire le comte duc d'Olivares pour Philippe IV, au XVIIe siècle. Les artistes italiens qui participèrent à la construction la conçurent comme une succession d'espaces dans lesquels la végétation ferait alternance avec des étangs, des statues ou de petits ermitages, formant un authentique labyrinthe. Ce goût baroque italien sera transformé au XVIIIe siècle avec l'arrivée des Bourbons au trône. A partir d'alors l'influence française sera plus palpable. Un bon exemplaire en est «Le Parterre».

Durant la guerre de l'Indépendance, les jardins furent détruits. Leur renaissance commença sous les règnes de Ferdinand VII et Isabelle II. A partir de la Révolution de septembre, en 1868, le caractère du jardin changea radicalement lorsqu'il devint propriété de la municipalité. C'est un centre de loisir dans lequel on peut réaliser plusieurs activités: naviguer sur l'étang sur les bords duquel se dresse la statue d'Alphonse XII, assister à toute sorte de jeux, contempler les expositions du palais de Velázquez ou du palais de Verre ou, tout simplement, se promener. Le jardin est émaillé de statues d'espagnols illustres tel le général Martínez Campos.

Etang du parc du Retiro, présidé par la statue
d'Alphonse XII.

Roseraie du parc du Retiro.

Monument aux frères Alvarez Quintero, au parc du
Retiro.

Le Jardin botanique

Il fut fondé en 1781 par Charles III, monarque préoccupé par la culture. Il forme un ensemble avec les autres constructions culturelles du Prado. Il fut réalisé par Juan de Villanueva suivant le goût néoclassique de l'époque. Il est disposé en trois terrasses sur lesquelles les plantations sont organisées en figures géométriques, des cercles et des carrés. Sur la plus elevée se trouve le Pavillon Villanueva, serre et bibliothèque.

Cette terrasse fut remaniée au XIXᵉ siècle afin d'y installer un jardin romantique qui fit disparaître la rationalisme du tracé et lui donna l'aspect de paysage naturel. Les deux autres terrasses conservent leur caractère original: dans la première, prédominance des carrés, des plantes utiles à l'homme; et dans la deuxième, dite des écoles, les plantes suivent un ordre, de la plus primitive à la plus évoluée.

Le palais Villanueva, au Jardin Botanique.

Le temple de Debod, au parc de la Montaña.

Autres jardins

Madrid possède quarante parcs dans lesquels on peut trouver tout genre de paysages: zones romantiques, agrestes, prés ouverts, bois et parterres. Remarquons: le Campo del Moro, qui fut jardin privé du Palais royal jusqu'en 1978, lorsqu'il fut ouvert au public et qui avait été construit durant le règne d'Isabelle II; les Jardins de Sabatini, réalisés durant la II République, d'après le projet de Mercadal, sur les terrains occupés par les Ecuries royales, à côté du palais; le parc de l'Oeste dans lequel, dans la zone connue sous le nom de montagne du Prince Pío, on trouve le temple de Debod, donné par le gouvernement égyptien à l'Espagne en reconnaissance pour sa collaboration aux travaux archéologiques de Nubie; et le parc El Capricho, à la Alameda de Osuna.

Façade principale du Musée de Prado et monument à Velázquez.

MUSEES ET COLLECTIONS ARTISTIQUES

Musée du Prado (Paseo del Prado)

Un magnifique bâtiment néo-classique de 1785, construit par l'architecte Juan de Villanueva, qui abrite l'importante pinacothèque créée en 1819 par le roi Ferdinand VII sur l'initiative de son épouse Isabelle de Bragance qui y déposa 311 chefs d'œuvres de la collection royale de peintures. Postérieurement, la collection s'agrandit avec les apports royaux successifs, les tableaux provenant des couvents «sécularisés» et les legs particuliers. Actuellement, le fonds du musée possède plus de 6 000 tableaux, une grande partie dans le dépôt du musée et le reste distribué à travers plusieurs institutions. Le musée doit son nom à la promenade sur laquelle il se trouve, le Prado de San Jerónimo, réalisation urbaine de l'époque de Charles III, le despote éclairé. Il devait être, au début, musée d'Histoire naturelle, mais la guerre de l'Indépendance changea sa destinée. L'édifice est formé par trois genres de constructions classiques: la rotonde-vestibule, le temple et le palais, reliés entre eux par des galeries. Sa structure est simple et la décoration est basée sur la qualité des matériaux de construction, suivant les schémas de l'architecture néo-classique. Remarquons son portique central à six grandes colonnes doriques qui rappelle les temples grecs.

La pinacothèque comprend, outre les 6 000 tableaux, plus de 400 sculptures classiques et un grand nom-

*La Descente de Croix,
de Van der Weyden.*

*Triptyque Le char
de foin, tableau
que l'on considère
appartenant à
l'époque juvénile
de Bosch.*

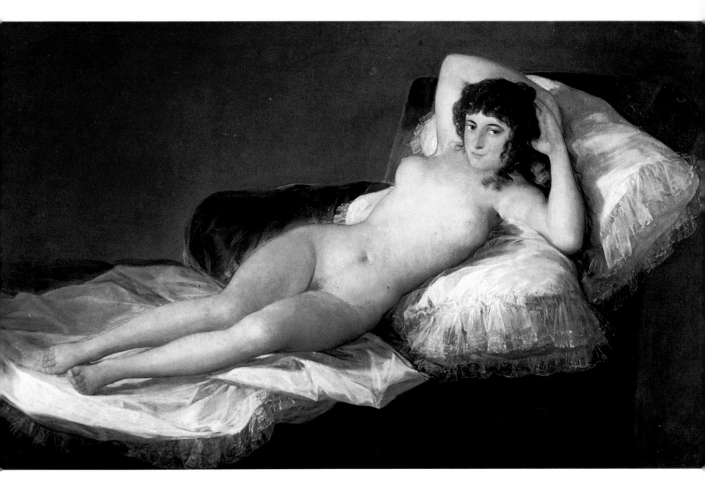

La Maja nue, un des plus célèbres tableaux de Francisco de Goya, au musée du Prado.

Les Ménines, un des chefs d'œuvre de Velázquez, au musée du Prado.

bre d'objets précieux, par exemple le Trésor du Dauphin. Elle conserve une excellente collection des trois plus grands génies de la peinture de tous les temps — le Gréco, Velázquez et Goya — et la meilleure histoire vivante de la peinture espagnole, de ses origines romanes et gothiques au XIXᵉ siècle. La richesse des plus importantes écoles picturales européennes du passé (flamande, italienne, hollandaise, française et allemande) est aussi exceptionnelle. Et tout ceci sans oublier qu'au Prado certains peintres étrangers, le Titien par exemple, ou quelques écoles — la peinture vénitienne du XVIᵉ siècle — ont une représentation beaucoup plus importante que celle que l'on peut voir dans d'autres musées européens. Parmi les chefs d'œuvre exposés, signalons : le «Chevalier à la main sur la poitrine» et le «Baptême du Christ», du Gréco; «Les ménines», «La Reddition de Breda», «Les Buveurs», «Portrait équestre de Philippe IV», «Portrait équestre du comte duc d'Olivares» et «Christ crucifié», de Velázquez; la «Maja nue», la «Maja habilée», la «Famille de Charles IV», le «Fusillement de la Moncloa» et les «Peintures noires» de Goya; «L'Empereur Charles V à cheval», du Titien; «Portrait d'un cardinal» et la «Vierge à la rose» de Raphaël; le «Chevalier à la chaîne d'or», du Tintoret; «Jésus et le centurion», de Véronèse; «David vainqueur de Goliath», de Caravage; la «Dormition de la Vierge», de Mantegna; «Artémise», de Rembrandt;

des tableaux de Dürer et pratiquement les meilleures compositions de Rubens, Bosch et Brueghel.
Le musée du Prado comprend deux autres bâtiments (outre celui déjà cité qui reçoit le nom d'«Edificio de Villanueva»). D'une part nous avons le Casón del Buen Retiro (28, rue Alfonso XII) qui, avec l'actuel musée des Armées, sont le seul vestige des grandes constructions de l'ensemble du palais du Buen Retiro. Les salles conservent des peintures espagnoles du

XIXᵉ siècle et quelques exemplaires singuliers de peinture contemporaine. Et enfin, l'Edificio Villahermosa.

Fondation Collection Thyssen Bornemisza (Paseo del Prado, 8) La Fondation, installée temporairement au palais de Villahermosa, accueille une importante pinacothéque qui va des primitifs italiens à l'art pop (du XIIIème au XXème siècle).

Le cavalier à la main sur la poitrine, portrait du Gréco, au musée du Prado.

Le Casón del Buen Retiro, annexe du musée du Prado.

Musée Archéologique national (13, rue Serrano)
Il fut fondé par Isabelle II en 1867, avec des fonds provenant de diverses institutions de la nation. Il se trouvait, au début, au Casino de la Reine (au bout de la rue de Embajadores). Il y resta jusqu'en 1895, date à laquelle il fut installé dans les murs actuels, dans la partie postérieure de l'édifice de la Bibliothèque nationale.

Après plusieurs vicissitudes, le musée subit de profonds changements qui triplèrent son espace utile et modifièrent profondément les critères d'exposition. Ceux-ci prirent un caractère profondément didactique qui en ont fait un exemple à suivre.

Entrée au musée Archéologique national.

Plus de quarante salles offrent d'authentiques panoramas des vieilles cultures de la terre. On peut y voir, en outre, une excellente reproduction des peintures rupestres d'Altamira. Il conserve des trésors tels les trois «dames» de la sculpture ibérique —celle d'Elche, celle de Baza et celle du Cerro de los Santos—, l'ensemble de couronnes votives de Guarrazar, l'importante collection numismatique, la collection de pierres dures et de porcelaines du Buen Retiro, des céramiques populaires, des vases grecs et étrusques, des sarcophages et des mausolées grecs et romains et tant d'autres collections intéressantes.

La couronne votive de Recesvinto, de Guarrazar, un des exemplaires de l'art wisigothique du musée Archéologique national.

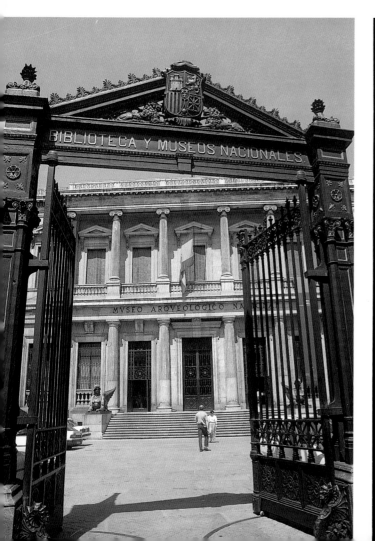

Le Centre d'art Reine Sofía accueille de nombreux exemplaires de l'art contemporain. Sur la photo, le Guernica de Pablo Ruíz Picasso.

Centre d'art Reine Sofía (52, rue Santa Isabel)
Situé dans l'énorme bâtiment de l'ancien Hôpital général de San Carlos, projet conçu par Charles III et réalisé suivant les dessins de l'architecte Sabatini, il reçoit l'art contemporain sous toutes ses formes, expose des collections fixes et des temporaires, aussi bien espagnoles qu'étrangères. Son centre de documentation bibliographique est l'un des plus importants d'Europe.

Un aspect du Centre d'art Reine Sofía.

AUTRES MUSEES

Nous avons cité, jusqu'à présent, les musées les plus importants, par leurs collections et dont la visite est presque obligatoire. Mais la ville possède beaucoup d'autres musées dont nous recommandons la visite: l'Académie royale des Beaux arts de San Fernando (13, rue d'Alcalá), qui possède une importante collection de toiles et de sculptures; le musée Municipal (78, rue de Fuencarral), avec des tableaux et divers objets gardant une relation avec l'histoire de Madrid; le musée National d'Ethnologie (68, rue de Alfonso XII), sur les cultures primitives de tous les continents; le musée Lázaro Galdiano (122, rue de Serrano), importante collection privée de chefs d'œuvres; le musée Romantique (13, rue de San Mateo), curieuse re-création d'un palais de cette époque; le musée d'Arts décoratifs (12, rue de Montalbán); le musée des Armées (1, rue Méndez Núñez); la Manufacture royale des tapis (2, rue de Fuencarral); le musée d'Histoire naturelle (2, rue de José Abascal); le musée de Cire (41, Paseo de Recoletos); etc.

Deux salles du musée Cerralbo. Ce palais conserve plusieurs collections particulières du marquis de Cerralbo. A sa mort, en 1924, il devint musée comme le disposaient les dernières volontés du marquis.

Le musée des Armées possède une riche collection d'armures parmi lesquelles se trouvent celle du Grand Capitaine.

Détail de la fête des «modistillas» (couturières).

Couples dansant le «chotis», danse populaire.

FETES POPULAIRES ET CORRIDAS

Le peuple de Madrid a toujours aimé fêter dans la rue tous les jours fériés que lui offre le calendrier. Le cinq janvier on peut assister à la cavalcade des Rois mages qui parcourt les principales rues de la ville. Durant le mois de février, le Carnaval commence officiellement avec un discours offert par la Muse de la fête qui présidera, aussi, la cavalcade qui passe par les promenades de la Castellana et de Recoletos. Il y a des prix pour les carosses. Durant ces jours-là, il y a aussi des concours de bons mots mis en chansons et des bals populaires organisés par la Mairie. Les fêtes finissent le mercredi des Cendres, jour du populaire Enterrement de la sardine avec son cortège en deuil.

Entre mars et avril, la Semaine sainte vient offrir ses processions. Signalons celle de Jésus le Pauvre, celle du Grand Pouvoir et celle de la Macarena, le jeudi; Jésus de Medinaceli, la Dolorosa et le Silence, le vendredi, journée durant laquelle a lieu, aussi, la procession du Christ au cloître de Las Descalzas, avec une belle statue de Gaspar Becerra; et enfin, le samedi, le Saint Enterrement défile sur la Plaza Mayor.

La Communauté autonome de Madrid a choisi le 2 mai pour célébrer sa fête. Plusieurs activités culturelles et récréatives sont alors organisées. Mais c'est surtout la semaine du 15 mai, fête de san Isidro, patron de la ville, qu'ont lieu les plus importantes réjouissances: concerts, représentations théâtrales, marionnettes et «pasacalles», expositions de livres et d'artisanat, bals jusqu'au petit matin et feux d'artifices. Par contre, la fête de la patronne de la ville, la Vierge de l'Almudena, le 9 novembre, passe pratiquement inaperçue.

Dès les premiers jours du mois de décembre, la ville se prépare à recevoir Noël et elle dira adieu à l'année

«El Barquillero», personnage typique de Madrid.

La Monumental de las Ventas, les plus grandes arènes d'Espagne.

le 31 décembre, au son de l'horloge de la Puerta del Sol, aux douze coups de cloche. La nouvelle année sera reçue avec joie par la multitude qui se concentrera sur la place.

Tout au long de l'année, chaque quartier célèbre sa fête. Signalons celles de San Antonio de la Florida, le 13 juin; celle de la Virgen del Carmen, le 16 juillet et celles de San Cayetano, San Lorenzo et la Paloma, durant la première quinzaine du mois d'août.

Mais la fête par excellence de Madrid, depuis le Moyen Age, c'est la corrida ou courses de taureaux. Au XVIIe siècle, toutes les occasions étaient bonnes pour célébrer des courses de taureaux sur la Plaza Mayor. En 1754, le roi Ferdinand VI fit construire, par les architectes Ventura Rodríguez et Francisco Moradillo, une place circulaire pouvant recevoir douze mille spectateurs. Au début du XXe siècle, cette place devient trop petite et on construit alors l'actuelle Plaza Monumental de las Ventas, réalisation de José Espelíus et Manuel Muñoz Monasterio qui la dessinèrent suivant le style mudéjar caractéristique des arènes, avec des murs de brique et des décorations en céramique. Sa capacité — elle peut accueillir 22 000 spectateurs — en fait la plus grande d'Espagne. C'est aussi la plus importante car les grands personnages du monde des taureaux doivent y passer leur «examen», devant une foule attentive et exigente d'experts. Tous les ans elle accueille 70 ou 72 corridas. La saison commence en avril mais c'est pour les fêtes de San Isidro que les arènes ne désemplissent pas. Il y a alors 26 corridas: trois sont des «novilladas» et deux de «rejón». Après la fête, il y a encore des courses de taureaux tous les dimanches et les jours fériés. La corrida de la Beneficiencia et celle de la Prensa sont aussi très importantes. La saison s'achève avec les quatre ou cinq corridas de la foire d'Automne.

Madrid la nuit offre au noctambule plusieurs choix, des locaux classiques aux terrasses.

L'Arc de Cuchilleros, recoin du «Vieux Madrid».▷

OU PRENDRE UN VERRE ?
MADRID NOCTURNE

Il n'y a certainement aucune autre ville qui puisse offrir une telle quantité de locaux et d'ambiances différentes. On peut choisir, à Madrid, à n'importe quelle heure du jour ou de la nuit et profiter du temps libre. Il y a les cafés, héritiers de ceux qui accueillaient autrefois les intellectuels et les artistes qui parlaient durant des heures, au XIXe siècle et même maintenant. Aujourd'hui encore beaucoup gardent cette coutume et la traditionnelle décoration des salons, avec des guéridons. D'autres ont une ambiance plus actuelle et incluent, en complément, la musique, les expositions, les jeux de table, etc. Mais à Madrid, lorsqu'il s'agit d'aller «prendre un pot», on parle de «zones» dans lesquelles on trouve tout genre d'établissements, depuis ceux qui offrent de petits en-cas à ceux qui ont divers genres de musiques, sur disques ou en direct et qui proposent les ambiances les plus éclectiques: Huertas, Alonso Martínez, Malasaña, Lavapiés, Orense, Moncloa, Cea Bermúdez, sans oublier les terrasses de La Castellana et du «Vieux Madrid».

Les clubs aussi offrent un choix varié qui va de la «discothèque light», pensée pour les plus jeunes, sans alcool ni tabac au club classique qui offre la musique d'orchestre des années 40 aux années 60. Et n'oublions pas les célèbres «tablaos» flamencos où l'on peut assister au spectacle ou y participer. Et les salles de fêtes avec des spectacles d'humour ou de variétés.

GASTRONOMIE.
TAVERNES ET RESTAURANTS

Il y a une série de plats qui, bien que provenant d'autres régions, se sont installés ici et sont devenus cuisine pure madrilène. Le «cocido» est le plat madrilène par antonomase. Il est suivi de près par les tripes, les boyaux de poule frits et les fraises de veau, les escargots, les soupes d'ails (sans œuf) et, dans le chapitre des sucreries, les «churros» et les «porras» (sorte de beignets), les «rosquillas» (*tontas et listas*) de San Isidro et, dernièrement, les nouveaux desserts caractéristiques des fêtes madrilènes: la «couronne de la Almudena» ou la tarte «de la Comunidad», créés par l'Association de Pâtissiers. Parmi les boissons, signalons les vins de San Martín de Valdeiglesias, Colmenar de Oreja et Arganda, en plus de la très madrilène liqueur d'arbousier.

Mais, outre les bons petits plats madrilènes, nous pouvons aussi déguster toutes les specialités imaginables, aussi bien de cuisine régionale qu'internationale. Tout dépendra de notre bourse, mais nous pourrons choisir le restaurant de cinq fourchettes ou les menus économiques et le plat du jour qu'offrent de nombreux restaurants. On peut aussi choisir une autre formule: manger à base de «pinchos y raciones», c'est à dire, souvent au comptoir, dans des gargotes, des brasseries, des bars et des tavernes que nous trouverons dans toute la ville.

Signalons quelques restaurants qui ont plus de cent ans et qui réjouissent encore les palais les plus exigents: Lhardy, Antonio Sánchez ou Botin. Leurs salons ont connu et vécu une bonne partie de l'histoire de la ville.

Plats typiques de la gastronomie madrilène: le potage à la madrilène, les tripes et le chocolat avec des «churros». ▷

verons pratiquement partout des grandes surfaces. On trouve aussi à Madrid des rues qui ont leur spécialité. Prenons par exemple la rue du Prado, avec un très grand nombre d'antiquaires; la rue du Barquillo, avec des équipements de son et de vidéo; la rue de Libreros et les alentours, où l'on peut trouver des vieux livres aussi facilement que le dernier manuel nécessaire pour étudier une nouvelle matière; ou la rue de l'Almirante, centre de mode de design et d'avant-garde.

Face aux commerces traditionnels, quelques-uns ayant plus d'un siècle, nous trouvons aussi les grandes surfaces qui ont proliféré durant les dernières années. Ces grands centres commerciaux concentrent des magasins, des super-marchés, des grands magasins, des bars, des restaurants, des banques, des cinémas, des boîtes et d'autres centres de loisir. Mais on peut aussi trouver, à Madrid, des marchés au grand air surtout les dimanches et jours fériés. C'est le cas du marché philatélique et numismatique de la Plaza Mayor, du marché aux livres installé tous les jours à la Cuesta de Moyano et des *rastrillos* (marché aux puces) de Ventas et de Tetuán.

Le Rastro est le marché le plus populaire et le plus intéressant. Il se trouve entre la place de Cascorro et la Ronda de Toledo, son axe central étant la rue de Ribera de Curtidores. Son origine remonte au XVIe siècle, lorsque l'abattoir se trouvait dans cette zone. L'abattoir recevait le nom de «rastro» et tout autour on trouvait des stands de vente. Tout au long du XIXe siècle, les vendeurs de vêtements usés et les brocanteurs installèrent leurs premiers magasins qui devinrent les actuelles salles de vente et magasins d'antiquités. Mais ce sont les milliers de stands qui caractérisent aujourd'hui le Rastro. On peut y acheter de tout. Une multitude de futurs acheteurs ou tout simplement de promeneurs qui veulent jouir du spectacle et assister au marchandage, quasiment obligatoire, entre les acheteurs et les vendeurs, parcourt les rues animées et joyeuses de ce marché aux puces.

MARCHES, MAGASINS ET CENTRES COMMERCIAUX

Il est facile d'aller faire les courses à Madrid car les magasins sont concentrés dans différentes zones, ce qui rend plus facile ce plaisir. On peut donc choisir, selon sa bourse, entre les luxueuses boutiques exclusives du quartier de Salamanca; la zone du centre, avec la Gran Vía et les alentours de la Puerta del Sol; Princesa et Moncloa, avec une ambiance plus juvénile; la zone d'AZCA et la rue d'Orense. Nous trou-

Divers aspects du marché aux puces du Rastro» et un stand du Marché philatélique du numismatique de la Plaza Mayor.

Le Planétarium de Madrid fut créé en 1984.

LOISIRS ET ACTIVITES CULTURELLES

Tout au long de l'année, Madrid offre un large réper-
toire d'activités culturelles. Les unes ont un caractère stable — la programmation des cinémas, des
théâtres, des salles de concerts, des salles d'expositions et des centres culturels, par exemple —.
D'autres ont un caractère temporaire, les foires, les
festivals et les cycles qui ont lieu tous les ans à
Madrid.

La programmation cinématographique est, certainement, la plus variée. Il y a plus de 100 salles de
cinéma dans lesquelles on peut voir depuis les dernières productions nationales ou étrangères aux vieux
films et aux films en version originale. Et n'oublions
pas le service que rend la Filmoteca (Filmothèque)
avec la projection de vieux classiques de tous les
pays, de tous les styles et de tous les metteurs en
scène du monde.

Aussi bien les compagnies de théâtre privées que les
nationales permettent de connaître toutes les options
théâtrales depuis la revue jusqu'au théâtre lyrique et
les marionnettes. Il y a trente cinq salles de théâtre
dans la ville.

La musique aussi a sa place ici et il y en a pour tous
les goûts: concerts de musique de chambre, grands
orchestres, opérette, jazz et musique moderne en
général. Il existe pour tout cela plusieurs salles de
concerts. En 1992 Madrid aura, en plus, un centre
permanent destiné à l'opéra au Teatro Real.

La vie culturelle de Madrid est aussi représentée à
travers les activités réalisées par un grand nombre
d'institutions culturelles et de galeries d'art. Et nous
ne pouvons pas oublier les autres centres de loisir:
le Zoo de la Casa de Campo, le Planétarium, l'Aqua-
rium ou le Parc d'attractions.

Le Stade de football Santiago Bernabeu, construit en 1946, fut remanié à l'occasion de la coupe mondiale de football, en 1982.

SPORTS

Madrid possède de magnifiques installations sportives qui permettent d'assister à tout genre de spectacles et aussi de pratiquer toutes les activités sportives désirées. Piscines, stades, pistes au grand air et circuit dans les parcs outre le palais des Sports, l'hippodrome de la Zarzuela, le Canodrome (piste de courses de chiens) et, bien sûr, les deux grands stades de football, le Santiago Bernabeu et le Vicente Calderón. La proximité de la montagne et des barrages permet aussi de pratiquer des sports de montagne et des sports nautiques. Les courses de voitures et de motos qui ont lieu au circuit du Jarama sont aussi très attrayantes.

Le Stade de football Vicente Calderón.

Façade principale du palais du Pardo.

LES ALENTOURS DE MADRID

Le palais du Pardo

Il appartient à la commune de Madrid et ne se trouve qu'à 14 km du centre ville. Il est entouré de chênes et de collines qui forment la montagne du Prado. C'est une ancienne chasse gardée royale où l'on peut voir encore des lapins, des cerfs et quelques sangliers.

Le palais fut construit par Charles V sur les terrains autrefois occupés, depuis le XIVe siècle, par des pavillons de repos des monarques. Détruit en 1604 par un incendie, Philippe II donna l'ordre de le reconstruire immédiatement. Il sera agrandi durant les règnes suivants. C'est Ferdinand VI qui fit clôturer toute la montagne environnante et, durant son règne, la puerta de Hierro et le pont de San Fernando, furent les entrées au Real Sitio.

En 1772, Charles III chargea Sabitini d'agrandir le palais. Il lui donna alors son aspect actuel et fit décorer les pièces avec des tapisseries, des peintures, des meubles, des lampes et des horloges qui s'y trouvent toujours. Après la guerre civile, ce fut la résidence du général Franco, jusqu'à sa mort. C'est aujourd'hui un musée et résidence des chefs d'état en visite à Madrid. Tout près se trouve la Maisonnette du prince, La Quinta et l'église du couvent des capucins dans laquelle nous pouvons admirer un Christ gisant, taillé par Gregorio Fernández, considéré un des chefs d'œuvre de l'imagerie espagnole du XVIIe siècle.

Le palais de la Zarzuela

C'est la résidence actuelle de Sa Majesté le roi d'Espagne et de sa famille. Il fut construit au XVIIe siècle d'après les dessins de Juan Gómez de Mora et Alonso Carbonell. Totalement détruit après la guerre civile, il fut reconstruit en 1960 en respectant le modèle antérieur.

Aranjuez

A 46 km de Madrid se trouve cette belle ville à l'urbanisme baroque que Philippe V déclara Résidence royale. Elle fut, depuis lors, témoin d'une grande partie des événements de l'histoire d'Espagne. Il faut visiter le Palais royal, richement décoré, avec de beaux meubles, des tapisseries, des peintures et un beau cabinet de porcelaines dont les murs et le plafond sont recouverts de plaques de porcelaine réalisées à la Manufecture royale du Buen Retiro. Il faut aussi se promener au milieu des merveilleux jardins sans oublier de se rendre à la Casita del Labrador et à la Casa de Marinos.

Le palais de la Zarzuela.

Les jardins d'Aranjuez conservent le style rococo d'origine. On y trouve de nombreuses statues et des bassins.

Le monastère de l'Escurial avec son style monumental caractéristique.

L'Escorial

Situé à 49 km de Madrid, au pied de la sierra de Guadarrama, se dresse l'Escorial, immense monastère que fit construire Philippe II. Les travaux commencèrent en 1563, sous la direction de Juan Bautista de Toledo. Il s'achevèrent 21 ans plus tard, sous les ordres de Juan de Herrera. Il abrite en son intérieur, outre le monastère et le panthéon royal, le palais des Bourbon, le collège, la bibliothèque et la cour des Rois qui donne accès à l'église.

On peut visiter, hors du monastère, la Casita del Príncipe, la Casita de Arriba et la Silla de Felipe II, depuis laquelle on contemple un vaste panorama du monastère.

La vallée de los Caídos

Construite par le général Franco dans la vallée de Cuelgamuros. Imposante basilique creusée dans la roche, avec une croix de 150 mètres de haut flanquée par les statues gigantesques des Evangélistes et des vertus cardinales.

L'Alcazar de Toledo et l'aqueduc de Segovie.

Chinchón: l'église et les maisons typiques de la Plaza Mayor.

Autres visites intéressantes

Dans les alentours de Madrid aussi nous pouvons nous rendre à Alcalá de Henares, avec son Université, l'église magistrale de San Justo et le monastère des Bernardas; à Chinchón, avec son château du XVe siècle et sa Plaza Mayor très originale; au monastère d'El Paular, dans la merveilleuse vallée de Lozoya; à Manzanares el Real, avec le château construit en 1435 par le marquis de Santillana; et à Tolède, Avila, Ségovie et Cuenca, toutes très proches et avec des moyens de communication faciles.

◁ *La Sainte croix du Valle de los Caídos.*

Sommaire

Imprimé en CEE
FISA - Escudo de Oro, S.A.

Collection TOUTE L'EUROPE

	Espagnol	Français	Anglais	Allemand	Italien	Catalan	Néerlandais	Suédois	Portugais	Japonais	Finlandais
1 ANDORRE	•										
2 LISBONNE	•										
3 LONDRES	•										
4 BRUGES	•										
5 PARIS	•										
6 MONACO	•										
7 VIENNE	•										
11 VERDUN	•										
12 LA TOUR DE LONDRES	•										
13 ANVERS	•										
14 L'ABBAYE DE WESTMINSTER	•										
15 ECOLE ESPAGNOLE D'EQUITATION DE VIENNE	•										
16 FATIMA	•										
17 CHATEAU DE WINDSOR	•										
19 LA COTE D'AZUR	•										
22 BRUXELLES	•										
23 PALAIS DE SCHÖNBRUNN	•										
24 ROUTE DU VIN DE PORTO	•										
26 HOFBURG	•										
27 L'ALSACE	•										
31 MALTA											
32 PERPIGNAN											
33 STRASBOURG		•									
35 CERDAGNE - CAPCIR											
36 BERLIN	•										

Collection ART EN ESPAGNE

	Espagnol	Français	Anglais	Allemand	Italien	Catalan	Néerlandais	Suédois	Portugais	Japonais	Finlandais
1 PALAU DE LA MUSICA CATALANA	•		•		•						
2 GAUDI	•	•	•	•	•					•	
3 MUSEE DU PRADOD I (Peinture Espagnole)	•	•	•	•	•					•	
4 MUSEE DU PRADO II (Peinture Etrangère)	•	•	•	•	•						
5 MONASTERE DE GUADELOUPE	•	•	•								
6 CHATEAU DE XAVIER	•	•	•			•					
7 MUSEE DES BEAUX-ARTS DE SEVILLE	•	•	•	•							
8 CHATEAUX D'ESPAGNE	•	•	•	•							
9 LES CATHEDRALES D'ESPAGNE	•	•	•	•							
10 LA CATHEDRALE DE GERONE	•	•	•	•							
14 PICASSO	•	•	•	•						•	
15 REALES ALCAZARES (PALAIS ROYAL DE SEVILLE)	•	•	•	•							
16 PALAIS ROYAL DE MADRID	•	•	•	•							
17 MONASTERE ROYAL DE L'ESCORIAL	•	•	•	•							
18 VINS DE CATALOGNE	•	•									
19 L'ALHAMBRA ET LE GENERALIFE	•	•	•	•							
20 GRENADE ET L'ALHAMBRA	•	•	•								
21 SITE ROYAL D'ARANJUEZ	•	•	•	•							
22 SITE ROYAL DU PARDO	•	•	•	•							
23 MAISONS ROYALES	•	•	•	•							
24 PALAIS ROYAL DE SAN ILDEFONSO	•	•	•	•							
25 SANTA CRUZ DEL VALLE DE LOS CAIDOS	•	•	•	•							
26 BASILIQUE DU PILAR DE SARAGOSSE	•	•	•								
27 TEMPLE DE LA SAGRADA FAMILIA	•	•	•	•	•	•					
28 ABBAYE DE POBLET	•	•	•			•					

Collection TOUTE L'ESPAGNE

	Espagnol	Français	Anglais	Allemand	Italien	Catalan	Néerlandais	Suédois	Portugais	Japonais	Finlandais
1 TOUT MADRID	•	•	•	•	•					•	
2 TOUT BARCELONE	•	•	•	•	•	•					
3 TOUT SEVILLE	•	•	•	•	•						
4 TOUT MAJORQUE	•	•	•	•	•						
5 TOUTE LA COSTA BRAVA	•	•	•	•	•						
6 TOUT MALAGA et sa Costa del Sol	•	•	•	•	•				•		
7 TOUTES LES CANARIES (Gran Canaria)	•	•	•	•	•			•	•		
8 TOUT CORDOUE	•	•	•	•	•						
9 TOUT GRENADE	•	•	•	•	•						
10 TOUT VALENCE	•	•	•	•	•						
11 TOUT TOLEDE	•	•	•	•						•	
12 TOUT SAINT-JACQUES-DE-COMPOSTELLE	•	•	•	•							
13 TOUT IBIZA et Formentera	•	•	•	•							
14 TOUT CADIX et sa Costa de la Luz	•	•	•	•	•						
15 TOUT MONTSERRAT	•	•	•	•	•						
16 TOUT SANTANDER et Cantabria	•		•								
17 TOUTES LES CANARIES (Tenerife)	•	•	•	•	•			•	•		•
20 TOUT BURGOS	•	•	•	•							
21 TOUT ALICANTE et sa Costa Blanca	•	•	•	•							
22 TOUT NAVARRA	•	•	•	•							
23 TOUT LERIDA	•	•	•	•		•					
24 TOUT SEGOVIE	•	•	•	•							
25 TOUT SARAGOSSE	•	•	•	•							
26 TOUT SALAMANQUE	•	•	•	•				•			
27 TOUT AVILA	•	•	•	•							
28 TOUT MINORQUE	•	•	•	•							
29 TOUT SAINT-SEBASTIEN et Guipúzcoa	•										
30 TOUTES LES ASTURIES	•		•								
31 TOUT LA COROGNE et Rías Altas	•	•	•								
32 TOUT TARRAGONE	•	•	•								
33 TOUT MURCIE	•	•	•								
34 TOUT VALLADOLID	•	•	•								
35 TOUT GIRONA	•	•	•								
36 TOUT HUESCA	•	•	•								
37 TOUT JAEN	•	•	•								
38 TOUT ALMERIA	•	•	•								
40 TOUT CUENCA	•	•	•								
41 TOUT LEON	•	•	•								
42 TOUT PONTEVEDRA, VIGO et Rías Bajas	•	•	•								
43 TOUT RONDA	•	•	•	•							
44 TOUT SORIA	•	•									
46 TOUTE L'ESTREMADURE	•										
47 TOUTE L'ANDALOUSIE	•	•	•	•							
52 TOUT MORELLA	•	•				•					

Collection TOUTE L'AMERIQUE

	Espagnol	Français	Anglais	Allemand	Italien	Catalan	Néerlandais	Suédois	Portugais	Japonais	Finlandais
1 PUERTO RICO	•		•								
2 SANTO DOMINGO	•		•								
3 QUEBEC		•	•								
4 COSTA RICA	•		•								
5 CARACAS	•		•								

Collection TOUTE L'AFRIQUE

	Espagnol	Français	Anglais	Allemand	Italien	Catalan	Néerlandais	Suédois	Portugais	Japonais	Finlandais
1 MAROC	•	•	•	•	•						
2 LE SUD MAROCAIN	•	•	•	•	•						
3 LA TUNISIE		•	•	•	•						
4 LE RWANDA		•